図解

中学3年分の英語が
3週間で 身につく 音読

長沢寿夫
長沢英語塾塾長

はじめに

みなさん、こんにちは！
英語を教えてその道一筋 42 年になる、長沢寿夫です。

この本は、「たくさん勉強してわかったつもりなのに、話そうとしたら出てこない」と悩んでいる方々に向けて執筆した、『CD BOOK 中学 3 年分の英語が 3 週間で身につく音読』の図解版です。

『CD BOOK 中学 3 年分の英語が 3 週間で身につく音読』を 1 冊、徹底的に練習した読者から、「こんなに話せるようになりました！」という喜びのお便りとともに、英語で実際に会話をしている音声が届いたこともあります。
そのような感想をいただけたのは、この本を通して読者のみなさんが、「頭と口がつながっていない」という英語が話せない原因を解消することができたからだと思っています。
私の塾に来る子たちには、塾で英語の使い方を理解してもらってから、家で次のことをするように指導しています。

> ① とにかく英文を声に出してよむこと
> ② それもなるべく速くよめるようになること
> ③ 日本語訳を見て英語が出てくるぐらい口になじませること

つまり、これが「音読」です。
解説をよんで深く英文をよみ込むことでリーディング力（よむ力）がつきます。
口を動かすことで、脳に刻み込まれる記憶の深さが変わり、話したいときにスラスラ出てきてスピーキング力が増します。
マネしようとよく音声を聞くので、リスニング力がつきます。
また、練習の中で英文をかくして日本語訳だけを見て英文が出てくるようによんでもらいます。
このようにすることで、瞬時に英文をつくる作文力がつきます。
最近中高生に必要といわれるようになった「英語 4 技能」の力がことごとく身につく、すばらしい練習方法なのです。

<日本語→英語>の順の音声がダウンロードできますから、まずはそれを聞きながら声に出してよんでみましょう。
この本では中学レベルのなるべくかんたんな英単語を使って、かんたんで覚えやすいみじかい例文をよんでもらうように工夫しました。
日本語を見てパッと英語が出てくるように、日本語訳を英語に直しやすいような表現（いい方）にしてあります。

また、なるべく速くよめるようになることも大事です。
各項に 5 つの例文を載せていますが、その 5 つの日本語を英語に直してよむ目標時間も書いてあるので、その時間でいえるようにしてみてください。
本をもたずに音声の日本語の音声だけを聞いてパッと英語の文をいえるようになったら、そのときあなたの英語力はすばらしく向上しているでしょう。

さあ皆さんも、本当に英語力が身につく「音読」を、はじめましょう！
さいごに、私の好きなことばを贈ります。
　　　「喜びをもって勉強すれば、喜びもまたきたる」

2023 年 2 月　　　長沢寿夫

この本の使い方

この本は、英語を「音読」してもらうための練習本です。
ぜひ、こんなやり方で声に出してよんでみてください。

① 「Point」をよむ

まずは、「Point」のところをよんで、文法と文のつくり方を理解します。
意味をよく理解してから英文にとりくむことがたいせつです。

② 右側の英語をできるだけ速くよめるようにする

「日本語→英語」の音源のあとに、復唱する時間を空けてあるので、音声で英語の発音を確認しながら、同じようにいえるよう練習してみましょう。
また、右上の2次元コードを読み込むと、音声データをダウンロードしていただけます。
右下の2次元コードにアクセスして、明日香出版社音声再生アプリ【ASUKALA】をインストールすると、ダウンロードした音声がいつでもすぐに再生でき、音声の速度を変えることもできるようになるのでおすすめです（無料です。個人情報の入力は必要ありません）。

音声データの
ダウンロード

音声再生アプリ
【ASUKALA】

※ CDで音声を聞きたいお客様には、1,000円（送料込み）でお分けしています。ホームページよりお問合わせください。

③ 日本語文を見て英語訳ができるようにする

右側の英文のところを手でかくして日本語文だけを見て、英文が出てくるようたしかめましょう。

④ 日本語だけを見て速く英文をいえるようにする

音読の目標タイムをめざして日本文を英文に直します。
何回もくり返し練習していると、日本文をあまり見なくても英語に直せるようになります。

もし、それでもわからないことがあれば、巻末の「質問券」を明日香出版社あてに送ってください。
あなたの疑問点がなくなるまで私がしっかりフォローします！

発音記号のよみ方

音声を聞かなくても単語のよみなどがわかるように、必要と思われる単語は発音記号とよみ方とともに抜き出してあります。発音記号は、なれない人にはすこしむずかしいかもしれませんから、下に主な発音記号とこの本での表記方法を示しました。

æ〔エァ〕	エの口の形でアといえば、この音を出せます。	r〔ゥル〕	ウと軽くいいながらルといえば、この音を出せます。
v〔ヴ〕	下くちびるをかむようにしてブといいます。	dz〔ツ〕	ツの音をにごらせた〔ヅ〕の音で発音してください。
f〔フ〕	下くちびるをかむようにしてフといいます。	z〔ズ〕	スの音をにごらせた〔ズ〕の音で発音してください。
ə:r〔ア〜〕	口を小さく開けて〔ア〜〕といいます。	θ〔す〕	舌先を上の歯の裏側に軽くあてて〔す〕というつもりで息を出すとこの音が出ます。
ɑ:r〔アー〕	口を大きく開けて〔アー〕といいます。	j〔い〕	日本語でイーといいながら、舌の先をあごの天井すれすれまで近づけて口の両端を左右に引きます。
l〔オ〕	この本では〔オ〕と表記しています。舌を上の歯ぐきの裏につけて発音します。	•	これは音の省略の記号として使っています。

4

英文法
きほんのきほん

01 主語と動詞をはっきりつたえる

英語ではだれが何をするのかを、はっきりつたえます。「〜をする」などをあらわすのが動詞で、主語が I と You と 2 人以上のときはそのまま、主語が 1 人のときは s または es をつけて使います。

🔊 1　音読の目標　**7**　秒

① 私は学校へ通っています。
　□ 行く、通う　go〔gou/ ゴーッ〕　□ へ　to〔tə/ トゥ〕
　　　　　　　　　□ 学校　school〔sku:l/ スクーオ〕

② あなたは学校へ通っています。

③ トニーは学校へ通っています。

④ 私は英語を勉強しています。

⑤ トニーは英語を勉強しています。
　□ 勉強する　study〔stʌdi/ スタディ〕/
　　　　　　　studies〔stʌdiz/ スタディズ〕

① I go to school.

② You go to school.

③ Tony goes to school.

④ I study English.

⑤ Tony studies English.

Point

●日本語では、「あすいっしょに行こうね」のように、「だれが」という主語を省いて話すことも多いのですが、英語では、「だれが」をはっきりさせます。
●もし日本語の文の中に「だれが」がなかったら、「だれがするのかな？」と考えてみましょう。人のときも、もののときもあります。
●「○○は△△する」というとき、「○○は」が主語、「△△する」が動詞です。
●日本語で「勉強する」「食べる」「話す」など最後がうの段でおわるとき、それは動作や状態をあらわす動詞です。
　例) 食べる（taberu）、住んでいる（sundeiru）

●主語が I や You や 2 人以上の人をあらわすときはそのまま、主語が I や You 以外で 1 人のときは動詞に s や es をつけます。

3単現の s のつけ方

ほとんどの動詞	s をつける	sing → sings（歌う） listen → listens（聞く）
o でおわる動詞	es をつける	go → goes（行く） do → does（する）
y でおわる動詞	ies になることがある	study → studies（勉強する） try → tries（ためす）

● y でおわる動詞でも ies にならずに s をつけるものもある。
　例) study → studies
　　　↑ローマ字のディといういい方なので ies となる
　　　stay → stays
　　　↑エーィとよむ。母音（ア・イ・ウ・エ・オ）が
　　　 2つついているときは、そのまま s をつける

02　be 動詞でつたえる文

日本語の中に動詞が見あたらないときは、主語の次に am、are、is をおきます。

🔊 2　音読の目標 **5** 秒

① 私はいそがしい。
　　　□ いそがしい　busy〔bízi/ ビズィ〕

② あなたは背が高い。
　　　□ 背が高い　tall〔tɔːl/ トーオ〕

③ 私の父は背が高い。

④ 私たちはいそがしい。

⑤ あなたと私はしあわせです。
　　　□ しあわせな　happy〔hǽpi/ ヘァピィ〕

① I am busy.

② You are tall.

③ My father is tall.

④ We are busy.

⑤ You and I are happy.

You and I
happy

Point

● 日本語の中に、動詞（最後が〝う〟の段でおわる単語）がないときは、主語の次に is、am、are をおいてから単語を並べると、正しい英語になります。

● is, am, are は be 動詞といって、主語によって使うものが変わります。

be 動詞

主語	be 動詞	例
I（私）	am	I am busy.
You（あなた）	are	You are tall.
1人	is	My father is tall.
2人以上	are	We are busy. You and I are busy.

● 会話では、短縮形を使うことがよくあります。
I am → I'm〔アーィム〕
You are → You're〔ユァァ〕

🗣 発音のコツ
You and I〔ユーアンダーィ〕
↑つなげてよむことが多い！

‼ ここをまちがえる！
「しあわせです」と日本語の最後が〝う〟の段になっていても、「しあわせな状態です」という意味だと考えて、be happy を使ってください。

否定文と疑問文は、be 動詞がきていないときは do または does を使います。

🔊 **3** 音読の目標 **5** 秒

① 私はさんぽをしません。
　　　　□ しない　don't 〔dount/ ドーゥン・〕
　　　　　　　　　doesn't 〔dʌznt/ ダズン・〕
　　　□ さんぽをする　walk 〔wɔːk/ ウィーク〕

② あなたはさんぽをしますか。
　　　　□ する　do 〔duː/ ドゥー〕 does 〔dʌz/ ダズ〕

③ トニーはさんぽをしません。

④ 私たちはさんぽをしません。

⑤ 彼らはさんぽをしますか。

① I don't walk.

② Do you walk?

③ Tony doesn't walk.

④ We don't walk.

⑤ Do they walk?

Point

● do を使うとき、does を使うとき
[I, You, We, They] + walk
主語が私とあなたと私たち、彼ら〔彼女たち〕のときには、動詞に s がつかないことから、do を使うと覚えましょう。
主語が 1 人のときは、動詞に s がつくことから does を使います。
do または does の次にくる動詞には、s をつけることはできません。

● 「しません」と否定したいときには、do[does] not の次に動詞をおきます。
do + not で don't 〔dount ／ドーゥン・〕、does + not で doesn't 〔dʌznt ／ダズン・〕とふつうはよみます。

● 「しますか」と聞きたいときには、do や does を文の最初において、文の最後に「?」をおきます。
よむときは、文の最後を上げて、相手にたずねるようにします。

🔈 発音のコツ ………………………………
don't walk のように t と w がローマ字にならないときは〔ドーゥン・ウォーク〕のように t を飲み込むように発音します。
doesn't walk のときも同じように考えて〔ダズン・ウォーク〕と発音します。
"I don't walk." という場合、"don't" の部分を強くよみます。

04　Yes, No で答えられない疑問文

Yes, No で答えられない疑問文は、疑問詞をつけます。
「ききたいこと」＋疑問文？の形にするのが正解です。
「ききたいこと」が疑問詞になります。

🔊 4　音読の目標　**6**　秒

① あなたはなぜ勉強するのですか。
　　　　　　　□ なぜ　why　〔wai/ ワーィ〕

② あなたはどこで勉強するのですか。
　　　　　　　□ どこで　where　〔weər/ ウェアァ〕

③ あなたはいつ勉強するのですか。
　　　　　　　□ いつ　when　〔wen/ ウェンズ〕

④ あなたはどのようにして勉強
　するのですか。
　　　　　　　□ どのようにして　how　〔hau/ ハーゥ〕

⑤ あなたは何時に起きるのですか。
　　　　□ 何時に　what time　〔wɑt taim/ ワッ・タイム〕
　　　　□ 起きる　get up　〔get ʌp/ ゲタップ〕

① Why do you study?

② Where do you study?

③ When do you study?

④ How do you study?

⑤ What time do you get up?

Point

●"Do you study?"（あなたは勉強しますか。）なら "Yes" "No" で答えますが、上のような質問には "Yes" "No" で答えられません。
こういう文は、「疑問詞（ききたいこと）＋疑問文？」の形にしてください。

●疑問詞には下のようなものがあります。

Why	（なぜ）	
Where	（どこで）	
When	（いつ）	＋ 疑問文？
How	（どのようにして）	
What time	（何時に）	

●ふつうの疑問文は、文の最後を上げて発音しますが、疑問詞のついた疑問文は最後を下げていうことが一般的です（軽く上げていう人もいるので注意）。

例 Do you study? ↗
例 Why do you study? ↘

発音のコツ

get up 〔get ʌp〕は t と u がローマ字のようになることから、〔ゲタップ〕と発音します。
アメリカ人は〔ゲラップ〕のようにいう人が多いのです。

05　人称代名詞

I, my, me, mine は、「は・が」「の」「を・に」「のもの」と覚えるとよいでしょう。

🔊 **5**　音読の目標　**7**　秒

① 私は直美さんを知っています。
　　　　　　□ 私は、私が　I　〔ai/ アーイ〕

② 私が直美さんを知っています。

③ 直美さんは私を知っています。
　　　　　　□ 私を、私に　me　〔mi:/ ミー〕

④ これは私の本です。
　　　　　　□ 私の　my　〔mai/ マーイ〕

⑤ この本は私のものです。
　　　　　　□ 私のもの　mine　〔main/ マーインヌ〕

① I know <u>Naomi</u>.

② I know Naomi.

③ Naomi knows me.

④ This is my book.

mine

⑤ This book is mine.

Point

●英語では「私」を I（いつも大文字）、「あなた」を you と呼びます。日本語で話すとき、「直美さんは今いそがしい？」などと相手の名前を呼んだりしますが、英語では基本的にいつも you です。

● I は、「私は」と「私が」にあたる意味をもっています。
　① 私は知っています　　　＜だれを＞直美さんを
　② 直美さんを知っています　＜だれが＞私が
　「だれが直美さんを知っていますか？」という質問に対する答えが②になります。つまり、①では「直美さん」を大事な情報（じょうほう）と考えているのに対して②では I（私）を重要な情報と考えているのです。
大切な情報を強くいうようにしてください。

 これだけ覚えよう

	～は、が	～の	～を、に	～のもの
私	I 〔アーイ〕	my 〔マーイ〕	me 〔ミー〕	mine 〔マーインヌ〕
あなた	you 〔ユー〕	your 〔ユアァ〕	you 〔ユー〕	yours 〔ユアァズ〕
彼	he 〔ヒー〕	his 〔ヒズ〕	him 〔ヒム〕	his 〔ヒズ〕
彼女	she 〔シー〕	her 〔ハァ〕	her 〔ハァ〕	hers 〔ハァズ〕
私たち	we 〔ウィ〕	our 〔アーゥア〕	us 〔アス〕	ours 〔アーゥアズ〕
彼ら/彼女たち	they 〔ゼーィ〕	their 〔ゼアァ〕	them 〔ゼム〕	theirs 〔ゼアァズ〕

日本語の覚え方〔はがのをにのもの〕

01 未来や過去のことを話す
① be 動詞

今のことを話すときの be 動詞は am, is, are。
未来のことを話すときは will be、過去のことは was, were。
過去から現在をあらわすときは have〔has〕been。

🔊 6　音読の目標　**9**　秒

① 私はきょういそがしい。

② 私はきのういそがしかった。
　　　□ でした　was　〔wɑz／ワズ〕

③ 私はあすいそがしい。
　　　□ でしょう　will be　〔wil biː／ウィオビー〕

④ 私はきのうからいそがしくしています。
　　　□ ずっとです　have been　〔həv bin／ハヴィンズ〕

⑤ 直美さんはきのうからいそがしく
　 しています。
　　　□ ずっとです　has been　〔həz bin／ハズビンズ〕

① I am busy today.

② I was busy yesterday.

③ I will be busy tomorrow.

④ I have been busy since yesterday.

⑤ Naomi has been busy since yesterday.

busy

Point

●日本文に「〜する」などの動詞がないときは、be 動詞 + 単語で英文に直すことができます。
be 動詞を現在形、過去形、未来をあらわす表現などに変えて、いつのことかをあらわします。
①は現在なので、am busy
②は過去なので、was busy
③は未来なので、will be busy
④は過去から現在なので、have been busy
⑤は過去から現在で、主語が 1 人なので has been busy となります。

📖 これだけ覚えよう
today 〔tədei／トゥデーィ〕きょう
yesterday 〔jestərdei／ィェスタァデーィ〕きのう
tomorrow 〔təmɔːrou／トゥモーゥローゥ〕あす
since 〔sins／スィンス〕〜から今まで
since yesterday　きのうから今まで

👉 ここが大切
w + am + is = was
w が過去をあらわしています。
was は am と is の過去形だということがわかります。

13

02 未来や過去のことを話す ② 動詞

動詞の過去形をあらわすときは、動詞の最後に "ed" をつけることが多いのですが、否定と疑問をあらわすときは　You didn't＋動詞の原形〜 .、Did you ＋ 動詞の原形〜？　とします。

🔊 7　音読の目標 **11** 秒

① 私はきのうテニスをしました。
　　　□ テニスをした　played tennis
　　　〔pleid tenis/ プレーィ・テニス〕

② 私はきのうテニスをしませんでした。
　　　□ テニスをする　play tennis
　　　〔plei tenis/ プレーィ テニス〕

③ あなたはきのうテニスをしましたか。

④ 私はきのう勉強をしました。
　　　□ 勉強した　studied 〔stʌdid/ スタディドゥ〕

⑤ あなたはきのう勉強をしましたか。
　　　□ 勉強する　study 〔stʌdi/ スタディ〕

① I played tennis yesterday.

② I didn't play tennis yesterday.

③ Did you play tennis yesterday?

④ I studied yesterday.

yesterday

⑤ Did you study yesterday?

Point

● ed をつけると過去をあらわす
私はテニスをします。
- I play tennis.
　私はテニスをしました。
→ I played tennis.
英語の動詞の最後に "ed" をつけると、過去をあらわすことができます。ただし、否定文と疑問文のときは、ed にとてもよく似ている did を使ってあらわします。
did に動詞の "ed" が含まれていると考えると、did の次にくる動詞には "ed" をつける必要がない、ということがわかります。

（ここが大切）
- "I studied."（私は勉強をしました。）
→ "I did study."（私は勉強をしました。本当ですよ。）
のように、did を使うこともできます。この英語に not を入れると
"I didn't study."（私は勉強をしませんでした。）になります。
主語を You にかえて not をぬいて疑問文にすると
"Did you study?"（あなたは勉強をしましたか？）となります。

（発音のコツ）
I played tennis yesterday.
単語の最後と次の単語の最初の音がローマ字にならないときは、〔プレーィ・テニス〕のように・で〔ドゥ〕の音を飲み込むように発音します。

03　命令する文

「〜しなさい」といいたいとき、主語なしで「Be + 単語」もしくは「動詞」の形でつたえます。

🔊 8　音読の目標　**6**　秒

① 注意してね。
　　□ 注意深い　careful　〔kéəfəl / ケァァフォー〕

② 遅れないように。
　　□ 遅い、遅刻した　late　〔leit / レーイトゥ〕

③ 急ぎなさい。
　　□ 急ぐ　hurry　〔həːri / ハ〜ッリィ〕

④ 急いでください。
　　□ 〜してください　please　〔pliːz / プリーズ〕

⑤ ここでたばこをすわないでね。

① Be careful.

② Don't be late.

③ Hurry up.

④ Please hurry up. /
　 Hurry up, please.

⑤ Don't smoke here.

Point

●命令文には、「Be + 単語」タイプと「動詞」タイプがあります。
日本語を英語に直すときに、日本語の中に動詞があれば "動詞〜 ."、なければ "Be + 単語 ." であらわします。
●否定文の場合は "Don't + 動詞〜 ."
"Don't be + 単語 ." でつたえます。
①は「あなたは注意深くない。」"You aren't careful."
　だから「注意してね。」"Be careful."
②は「あなたは遅いよ。」"You are late."
　だから「遅れないように。」
③は「急ぐ(hurry up)」が動詞なので、Beを使えません。
④「〜してください。」は
　"Please 〜 ." または "〜 , please."
⑤は「たばこをすう (smoke)」が動詞なので、
　Beを使えません。

ここが大切
命令文はいつも命令だけに使うわけではありません。
相手のためになるようなことをするようにいうときは、命令文を用いても失礼になりません。
　例 よい一日をお過ごしください。
　　 Have a good day.
　例 じゃあ気をつけてね〔からだに気をつけてね〕。
　　 Take care.

発音のコツ
命令文の最後を下げて発音すると、きついいい方になりますが、最後を軽く上げていうと、やさしいいい方になります。

しなければならない
must と have 〔has〕 to

しなければならない意味の助動詞 must は have 〔has〕 to でいいかえられます。must は、未来のことと過去のことをあらわせないので、未来のときは will have to、過去のときは had to を使います。

🔊 9　音読の目標　**8**　秒

① 私はもう帰らなければならないのです。
　　　　　　　　　　　　　〔must を使って〕
　　□ ～しなければならない　must　〔mʌst/ マストゥ〕
　　　　　　　□ 出発する　go　〔gou/ ゴーッ〕
　　　　　□ 今、もう　now　〔nau/ ナーゥ〕

② 私はもう帰らなければならないのです。
　　□ ～しなければならない　have to　〔hæf tə/ ヘァフトゥ〕

③ 私はもう帰らなければならないのですか。
　　　　　　　　　　　　　〔must を使って〕

④ 私はもう帰らなければならないのですか。

⑤ 私はきのう家にいなければならなかった。

① I must go now.

go now

② I have to go now.

③ Must I go now?

④ Do I have to go now?

⑤ I had to stay home yesterday.

Point

① 私は帰らなければならないのです　〈いつ?〉今
　　I must go　　　　　　　　　　　　now.
② 私は帰らなければならないのです　〈いつ?〉今
　　I have to go　　　　　　　　　　　now.
③ 私は帰らなければならないのですか〈いつ?〉今
　　Must I go　　　　　　　　　　　　now?
④ 私は帰らなければならないのですか〈いつ?〉今
　　Do I have to go　　　　　　　　　now?
⑤ 私は家にいなければならなかった　〈いつ?〉きのう
　　I had to stay home　　　　　　　　yesterday.

👆 ここが大切 ⋯⋯⋯⋯⋯⋯⋯⋯⋯⋯⋯⋯⋯⋯

must と have to の使い分け
must は話し手の意志で「～しなければならない」と思うときに、have to はまわりの状況から考えて「～しなければならない」と思うときに使う。
このように使い分けることができるといわれていますが、実際には、会話では have to、書きことばでは must を使うと覚えておいた方がよいと思います。

●ただし must は未来のことと過去のことをあらわせないので、過去のことをあらわしたいときは had to 〔hæd tə ／ヘァッ・トゥ〕、未来をあらわしたいときは、will have to 〔wil hæf tə ／ウィオ ヘァフトゥ〕を使います。

05 must ＞ had better ＞ should で強制する

日本語では、「～すべき」よりも「～した方がよい」の方がていねいな感じがしますが、英語では had better（～した方がよい）の方が should（～すべきです）よりも強制的な感じをあらわします。
一番意味が強いのは、must です。

🔊 10　音読の目標　**13**　秒

① 君は英語をもっと熱心に勉強しないとダメだね。
　□ 勉強する　study〔stʌ́di/ スタディ〕
　□ もっと熱心に　harder〔hάːrdər/ ハーダァ〕

② 君は英語をもっと熱心に勉強した方がよいよ。　□ ～した方がよい　had better
〔həd betər/ ハッ・ベタァ〕

③ 君は英語をもっと熱心に勉強すべきだね。
　□ ～すべきです　should〔ʃud/ シュッ・〕

④ たぶんあなたはもっと熱心に英語を勉強した方がよいでしょうね。
　□ たぶん　maybe〔méibiː/ メーィビー〕

⑤ 私はあなたは英語をもっと熱心に勉強すべきだと思いますよ。

① You must study English harder.

② You had better study English harder.

③ You should study English harder.

④ Maybe you had better study English harder.

⑤ I think you should study English harder.

You

study harder

Point

	〈何をする?〉	〈どのように?〉
① 君はしないとダメだよ	英語を勉強する	もっと熱心に
You must	study English	harder.
② 君はした方がよいよ	英語を勉強する	もっと熱心に
You had better	study English	harder.
③ 君はすべきだ	英語を勉強する	もっと熱心に
You should	study English	harder.
④ たぶんあなたはした方がよい	英語を勉強する	もっと熱心に
Maybe you had better	study English	harder.
⑤ 私は思います＋あなたはすべき	英語を勉強する	もっと熱心に
I think　you should	study English	harder.

😮 **ここをまちがえる！**

You had better ～は失礼になる！

had better ～を「～した方がよい」と訳すので、ていねいな表現とかんちがいすることがありますが、"You had better ～." のように You から始まるときは、「～した方がよいよ。そうじゃないとあとで困るよ。」とおどかすような意味をもちます。子どもに注意するときに使う表現でもあるので、目上の方には使わないようにしてください。

● ていねいにいいたければ、"Maybe you had better ～." または "I think you should ～." のようないい方をしてください。

● 例文の①～⑤の順に強制の意味が弱くなり、下にいくほどていねいないい方になります。

01 よく使う助動詞 will と can

「～するつもり」というとき、すでに決まっているときは be going to、話の途中で決めたときは will を使ってあらわします。
「～することができる」は、can または be able to であらわせます。

🔊 11　音読の目標　**11**　秒

① 私は東京へ行くつもりです。

② それでは、あす私は東京へ行きますよ。
　　□ それでは私は～します　Then I'll
　　〔ðen ail / ゼナーィオ〕

③ 私は英語を話せますよ。
　　□ ～を話す　speak 〔spi:k / スピーク〕

④ 私は英語を話すことができますよ。
　　□ ～することができる　be able to
　　〔bi: eibl tə / ビーエーィボートゥ〕

⑤ あなたは３週間で英語を話すことができますよ。
　　□ ３週間で　in three weeks
　　〔in θri wi:ks / イン スゥリーウィークス〕

① I'm 〔am〕 going to go to Tokyo.

② Then I'll 〔will〕 go to Tokyo tomorrow.

③ I can speak English.

④ I am able to speak English.

⑤ You'll 〔will〕 be able to speak English in three weeks.

Point

① 私は行くつもりです　〈どこへ?〉東京
　I'm 〔am〕 going to go　to　Tokyo.
② それでは私は行きますよ〈どこへ?〉東京〈いつ?〉あす
　Then I'll 〔will〕 go　to　Tokyo　tomorrow.
③ 私は話せますよ　〈何を?〉英語
　I can speak　English.
④ 私は話すことができますよ〈何を?〉英語
　I am able to speak　English.
⑤ あなたはできるようになりますよ
　You will be able
　〈何をすること?〉英語を話す　〈どれぐらいで?〉３週間
　　to　speak English　in three weeks.

🖐 ここが大切

「できる」「つもり」にもちがいがある

① be going to：すでにきめていることをするつもりだといいたいときに使う。

② will：話の途中で「～します」と決めていいたいときに使う。

③ can：生まれもった素質で「できる」といいたいときに使う。「（私は英語を話す国で生まれたので，）英語を話せますよ」という意味。

④ be able to：がんばって努力して「できる」といいたいときに使う。「（私は日本人ですが，）英語を話すことができますよ」という意味。

⑤ will（でしょう）と can はどちらも助動詞で、英文の中に２つの助動詞をかさねることはゆるされていないため、can と同じ意味の be able to を使っています。

02　Will you ～？と Can you ～？

「～してくれますか。」には、Will you ～？と Can you ～？が使えますが、Will you ～？は、軽い命令の意味で使われることがあるので、注意しましょう。
少していねいにいいたいなら Will you please ～？を使いましょう。

🔊 **12**　音読の目標　**7**　秒

① その戸を開けてくれる？
　□ ～してくれる　Will you ~?〔wilju:/ ウィリュー〕
　□ ～を開ける　open〔oupən/ オーゥプンヌ〕

② その戸を開けてもらえますか？

③ その戸を開けてくださいますか？
　□ ～してくださいますか　Will you please ~?
　〔wilju: pli:z/ ウィリュープリーズ〕

④ 私を手伝ってくれる？
　□ ～を手伝う　help〔help/ ヘオプ〕

⑤ 私を手伝ってくださいますか？

① Will you open the door?

② Can you open the door?

③ Will you please open the door?

open the door

④ Will you help me?

⑤ Will you please help me?

Point

	〈何をする?〉	〈何を?〉
① してくれる	開ける	その戸
Will you	open	the door?
② してもらえる	開ける	その戸
Can you	open	the door?
③ してくださいますか	開ける	その戸
Will you please	open	the door?

	〈何をする?〉	〈だれを?〉
④ してくれる	手伝う	私を
Will you	help	me?
⑤ してくださいますか	手伝う	私を
Will you please	help	me?

ここが大切
ちょっと上から目線
"Will you ～?" は、「～してくれますか。」という意味で使われますが、軽い命令の意味で使われることもあるので、年上の人が年下の人に使うときは、このいい方がぴったりです。
会社ならば、部長が部下に使うことが多いようです。

発音のコツ
命令するときは最後を下げていう
例 Will you open the door?（↗）
最後を軽く上げると、頼んでいるような意味になります。
例 Will you open the door?（↘）
最後を下げると、命令の意味になります。

03 Could you ～？と Would you ～？

「～してくれる？」と「～していただけますか？」。日本語でていねいないい方をするときは過去形を使うように、英語でも過去形にするとていねいないい方になります。

🔊 13　音読の目標　**7**　秒

① 手伝っていただけますか。〔Could を使って〕
　　　□ ～していただけますか　Could you ~?
　　　　　〔kudʒuː/ クッヂュー〕
　　　□ ～を手伝う　help 〔help/ ヘオプ〕

② 手伝っていただけますか。
　　　□ ～していただけますか　Would you ~?
　　　　　〔wudʒuː/ ウッヂュー〕

③ あすおいでいただけますか。〔Could を使って〕
　　　□ 来る　come 〔kʌm/ カム〕

④ あすおいでいただけますか。

⑤ あす私に電話をかけていただけますか。
　　〔Could を使って〕
　　　□ ～に電話をかける　call 〔kɔːl/ コーオ〕

① Could you help me?

② Would you help me?

③ Could you come tomorrow?

④ Would you come tomorrow?

⑤ Could you call me tomorrow?

Point

	〈何をする?〉	〈だれを?〉
① していただけますか	手伝う	私を
Could you	help	me?

	〈何をする?〉	〈だれを?〉
② していただけますか	手伝う	私を
Would you	help	me?

	〈何をする?〉	〈いつ?〉
③ していただけますか	来る	あす
Could you	come	tomorrow?

	〈何をする?〉	〈いつ?〉
④ していただけますか	来る	あす
Would you	come	tomorrow?

	〈何をする?〉		〈いつ?〉
⑤ していただけますか	私に電話をかける		あす
Could you	call me		tomorrow?

（ここが大切）

英語と日本語と比較して覚えよう

助動詞の過去形を使うと、ていねいないい方をあらわすことができます。日本語と英語がとてもよく似ていると覚えましょう。

例 私を助けてくれますか。
　　　　　　　現在
→ Can 〔will〕 you help me?

例 私を助けていただけますか。
　過去に使われた「た」と覚えましょう
→ Could 〔Would〕 you help me?

04 May I～？と Can I～？

許可を得たいときに、ていねいに「～してもかまいませんか。」といいたければ、May I～？、「～してもいい？」
といいたいときは Can I～？を使います。

🔊 14　音読の目標　**9**　秒

① あすおうかがいしてもよろしいですか。
　　□ ～を訪問する　call on　〔kɔːlɔːn/ コーローンヌ〕

② あす電話をかけさせていただいてもかまいませんか。
　　　　□ ～に電話をかける　call　〔kɔːl/ コーオ〕

③ あなたはいつでも私に電話をかけてくれてもよろしいですよ。
　　□ いつでも　anytime　〔enitaim/ エニィターィム〕

④ もう帰ってもいい？
　　　　□ 帰る　go　〔gou/ ゴーゥ〕
　　　　□ 今、もう　now　〔nau/ ナーゥ〕

⑤ 君はいつでも帰ってもいいよ。

① May I call on you tomorrow?

② May I call you tomorrow?

③ You may call me anytime.

call you

④ Can I go now?

⑤ You can go anytime.

Point

	〈何をする？〉	〈いつ？〉
① 私はしてもよろしいですか	君を訪問する	あす
May I	call on you	tomorrow?
	〈何をする？〉	〈いつ？〉
② 私はしてもかまいませんか	君に電話をかける	あす
May I	call you	tomorrow?
	〈何をする？〉	〈いつ？〉
③ あなたはよろしいですよ	私に電話をかける	いつでも
You may	call me	anytime.
	〈何をする？〉	〈いつ？〉
④ 私はしてもいい	帰る	今
Can I	go	now ?
	〈何をする？〉	〈いつ？〉
⑤ 君はいいよ	帰る	いつでも
You can	go	anytime.

👉 ここが大切

相手との関係で使い分ける

"May I～？" は、「～してもよろしいですか。」「～してもかまいませんか。」

"Can I～？" は、「～してもいい？」

ていねいに許可を得る必要があるときは、"May I～？"
友だちどうしや親子ならば、"Can I～？"

😊 発音のコツ

Can I～？〔kæn ai／キャナーィ〕
anytime〔enitaim／エニィターィム〕
　エとタにアクセントがありますが、エを特に強くいいます。
call on〔kɔːlɔːn／コーローンヌ〕
　コーとローの両方を強くいいます。

第1週　英文法きほんのきほん

第2週　中学で習ういろいろな文

第3週　覚えておきたい英語のルール

05 「〜しましょうか」の Shall we 〜？と Shall I 〜？

「〜しましょうか。」をあらわす Shall we 〜？, Let's 〜, shall we ?
「〜しましょう。」をあらわす Let's 〜. 「私が〜しましょうか。」をあらわす Shall I 〜？「私に〜してもらいたいですか。」をあらわす Do you want me to 〜？

🔊 15　音読の目標 **10** 秒

① この歌を歌いましょうか。
　　□ 私たちみんなでしましょうか　Shall we 〜？
　　　　〔ʃæl wiː/ シャォ　ウィー・〕
　　□ 〜を歌う　sing　〔siŋ/ スィン・〕
　　□ 歌　song　〔sɔːŋ/ ソーン・〕

② この歌を歌いましょうよ、
　そうしませんか。

③ この歌を歌いましょう。

④ 私にこの歌を歌ってもらいたいですか。

⑤ 私がこの歌を歌いましょうか。
　　□ 私がしましょうか　Shall I 〜？〔ʃælai/ シャラーィ〕

① Shall we sing this song?

② Let's sing this song, shall we?

③ Let's sing this song.

④ Do you want me to sing this song?

⑤ Shall I sing this song?

Point

	〈何をする？〉	〈何を？〉
① しましょうか	歌う	この歌
Shall we	sing	this song?

	〈何をする？〉	〈何を？〉
② しましょう	歌う	この歌＋そうしませんか
Let's	sing	this song , shall we?

	〈何をする？〉	〈何を？〉
③ しましょう	歌う	この歌
Let's	sing	this song.

	〈何をすること？〉	〈何を？〉
④ 私にしてもらいたいですか	歌う	この歌
Do you want me	to sing	this song?

	〈何をする？〉	〈何を？〉
⑤ 私がしましょうか	歌う	この歌
Shall I	sing	this song?

👉 ここが大切

●そうしませんか、しましょうよ！の親切心♪
"Let's sing this song, shall we?" は「この歌を歌いましょう、そうしませんか。」のような気もちをあらわしていると思えば、覚えやすいと思います。

Do you want me to sing this song?
（私にこの歌を歌ってもらいたいですか。）
そうであれば、
Shall I sing this song?
（私がこの歌を歌いましょうか。）
のように覚えてください。

01 どこどこになになにがある①

have は「～がある」という意味なので、
There is A in B. を B has A. でいいかえができます。

🔊 16　音読の目標 **11** 秒

① 私たちの町には、駅が１つあります。
　〔There is ～ を使って〕
　　□ 駅　station　〔stéiʃən/ ステーィシュンヌ〕
　　□ 町　town　〔taun/ ターゥンヌ〕

② 私たちの町には、駅が１つあります。
　〔have を使って〕

③ 青森は、たくさんの雪が降ります。
　〔There is ～ を使って〕

④ 青森は、たくさんの雪が降ります。
　〔have を使って〕

⑤ 私は黒髪をしています。
　　□ 黒っぽい　dark　〔daːrk/ ダーク〕
　　□ 髪　hair　〔heər/ ヘァァ〕

① There is a station in our town.

② Our town has a station.

③ There is a lot of snow in Aomori.

④ Aomori has a lot of snow.

⑤ I have dark hair.

Point

●どこに何がある？
① １つ駅があります〈どこに?〉中に〈何の?〉私たちの町
　There is a station　　　in　　　our town.
② 私たちの町はもっています　〈何を?〉１つの駅を
　Our town has　　　　　　a station.
③ たくさんの雪があります〈どこに?〉中に〈何の?〉青森
　There is a lot of snow　　in　　Aomori.
④ 青森はもっています　　〈何を?〉たくさんの雪
　Aomori has　　　　　　a lot of snow.
⑤ 私はもっています　　　〈何を?〉黒い髪
　I have　　　　　　dark hair.

● (a)「はっきりしていないものがどこどこにあります。」という意味のとき There is A in B. のパターンが使えます。
● (b)「はっきりしたものがどこどこにある。」というときと、「ずっとくっついている。」ときは、There is A in B. のパターンを使うことはできません。
　例 (b) 私の本は、その机の上にあります。
　　　　← 「私の」と限定してる！
　　　［○］My book is on the desk.
　　　［×］There is my book on the desk.
　(b) 私は黒い髪をしています。←ずっとくっついてる！
　　　［○］I have dark hair.
　　　［×］There is dark hair on my head.

第１週　英文法きほんのきほん
第２週　中学で習ういろいろな文
第３週　覚えておきたい英語のルール

23

02 どこどこになになにがある②

There is〔are〕〜 . のパターンを使って、はっきりしないものや人がどこどこに〜がある〔いる〕をあらわすことができます。
is〔are〕の次にくる名詞に s がついているときは are、s がついていないときは is を使います。

🔊 **17** 音読の目標 **10** 秒

① 美しい虹_{にじ}が出ています。
　　　　　　　　□ 美しい　beautiful
　　　　〔bju:təfl/ ビューティフォー／ビューリフォー〕
　　　　　　　□ 虹　rainbow　〔reinbou/ クレーインボーゥ〕

② あそこにだれかがいますよ。
　　　　　□ だれか　someone　〔sʌmwʌn/ サムワンヌ〕
　　□ あそこに　over there　〔ouvər ðeər/ オーゥヴァゼァァ〕

③ 玄関_{げんかん}にだれかがきていますよ。
　　　　　　　□ 玄関　door　〔dɔ:r/ ドーァ〕

④ 十分な時間がありますよ。
　　　　　□ 十分な　enough　〔inʌf/ イナフ〕

⑤ 青森はたくさん雪が降_ふりますよ。

① There is a
　beautiful rainbow.

② There is someone over there.

③ There is someone at the door.

④ There is enough time.

⑤ There is a lot of snow in Aomori.

Point

① 美しい虹がありますよ。〔出ていますよ。〕
　There is a beautiful rainbow.
② だれかがいますよ　〈どこに?〉あそこに
　There is someone　　　　　　over there.
③ だれかがいますよ　〈どこに?〉その玄関のところに
　There is someone　　　　　　at the door.
④ 十分な時間がありますよ。
　There is enough time.
⑤ たくさんの雪がありますよ〈どこに?〉青森には
　There is a lot of snow　　　　in Aomori.

🗨 ここが大切

「なになに」が数えられる名詞で a がついているときと、数えられない名詞の場合には、is を使います。名詞に s がついているときは are を使います。

🗨 発音のコツ

● a lot of snow〔ə lɑt əv snou ／アラッタヴ　スノーゥ〕
この英語をアメリカ人だと〔アラらヴ　スノーゥ〕のようにいう人が多いようです（速くいう人は〔アラら　スノーゥ〕というかもしれません）。

● "There is someone there." の "There" は弱く、最後の "there" は強く発音します。最初の "There" には意味がなく、"is" が「いる」という意味をあらわしています。

03　どこどこになになにがある③

一時的にいる〔ある〕をあらわしている場合には、
is と There is 〜 . の２つのいい方ができます。
ただし主語にくるものは、自分の意志で動けるものに限ります。

🔊 **18**　音読の目標　**10**　秒

① １ぴきのイヌが玄関(げんかん)のところに
　 いますよ。

② １ぴきのイヌが玄関のところに
　 いますよ。〔There is 〜を使って〕

③ 何びきのイヌがあなたの部屋の中に
　 いますか。
　　　　　□ 何びきのイヌ　how many dogs
　　　〔hau meni dɔ:gz/ ハーゥ　メニィ　ドーッグズ〕
　　　　　　□ 部屋　room　〔ru:m/ ゥルーム〕

④ 何びきのイヌがあなたの部屋の中に
　 いますか。〔there are 〜を使って〕

⑤ ホテルはどこにありますか。
　　　　　　□ どこに　where　〔weər/ ウェアァ〕
　　　　　　□ ホテル　hotel　〔houtel/ ホーゥテオ〕

① A dog is at the door.

② There is a dog
　 at the door.

at the door
a dog

③ How many dogs are
　 in your room?

④ How many dogs are there in your
　 room?

⑤ Where is a hotel?

Point

① １ぴきのイヌがいます　〈どこに?〉その玄関のところに
　 A dog is　　　　　　　　　　　 at the door.
② １ぴきのイヌがいます　〈どこに?〉その玄関のところに
　 There is a dog　　　　　　　　 at the door.
③ 何びきのイヌがいますか〈どこに?〉あなたの部屋に
　 How many dogs are　　　　　　 in your room?
④ 何びきのイヌがいますか〈どこに?〉あなたの部屋に
　 How many dogs are there　　　 in your room?
⑤ どこにありますか　　　〈何が?〉あるホテル
　 Where is　　　　　　　　　　　 a hotel?

💡 **ここをまちがえる!**
● Where is there 〜は使えない
「どこに〜がありますか。」は、"Where is 〜 ?"とは
いえますが、"Where is there 〜 ?"は使いません。
● 「どこ」はいつも Where とはかぎらない
「日本の首都(しゅと)はどこですか。」ときくとき、"Where is
the capital of Japan?"ということはできません。こ
の文のたずねたいことは「日本の首都は何ですか。」
という意味なので、"What is the capital of Japan?"
が正しいのです。
もし "Where is the capital of Japan?"というと、「日
本の首都はどこにありますか。」という意味になりま
す。

04 天候、時間、距離をあらわすときに使う It is ～ .

天候、時間、距離、温度、曜日、月という単語を使わずに It is ～ . であらわすことができます。

🔊 19 　音読の目標 **12** 秒

① 「きょうはどんな天気ですか。」
　「くもりです。」
　　　　□ 天気　weather　〔weðər/ ウェ ﾞ ｻﾞｧ〕
　　　　□ きょう（は）today　〔tədei/ トゥ ﾃﾞ ｰｨ〕
　　　　□ くもりの　cloudy　〔klaudi/ ｸﾗｰｯﾃﾞｨ〕

② 「何時ですか。」「７時 10 分です。」

③ 「大阪駅までどれぐらいありますか。」
　「５km あります。」
　　　　　　　　□ 遠い　far　〔fɑːr/ ﾌｧｰ〕

④ 「きょうは何月何日ですか。」
　「５月５日です。」
　　　　□ 月日　date　〔deit/ ﾃﾞ ｰｲﾄｩ〕
　　　　□ ５番目の　fifth　〔fifθ/ ﾌｨﾌ ｽ〕

⑤ 「きょうは何曜日ですか。」
　「月曜日です。」

① "How is the weather today?"
　"It's cloudy."

② "What time is it?" "It's seven ten."

③ "How far is it to Osaka Station?"
　"It's five km."

④ "What's the date today?"
　"It's May (the) fifth."

⑤ "What day is today?"
　"It's Monday."

Point

●主語の代わりの It
① きょうはどんな天気ですか。
　　　　　　　　　　　　How is the weather today?
② 何時ですか。　　　　　　　　What time is it?
③ 大阪駅までどれぐらいありますか。
　　　　　　　　How far is it to Osaka Station?
④ きょうは何月何日ですか。　What's the date today?
⑤ きょうは何曜日ですか。　　What day is today?

質問のおのおのの英文には、主語をあらわす単語がありますが、質問に答えるときには、その主語をあらわす単語のかわりに It を使ってあらわします。

it の用法の説明部分
● 天気 　"It's ＋形容詞 ."
　　　例 It's sunny.（晴れです）
● 時間 　"It's seven ten."（７時 10 分です）
● 距離 　"How far is it to ～ ?"
　　　（～までどれぐらい離れていますか）
　　　"It's five km." five km は，five kilometers
　　　〔kiləmitərz ／キラミタ～ズ〕
● 月日 　"It's May (the) fifth." 数字の順番をあらわす単語を使います。
　　　"It's May 5." のように書いてあっても，
　　　"five" とよまずに，"fifth"〔フィフす〕とよみます。ただし，話しことばでは "five" という人もいます。
● 曜日 　What day is today? は What day of the week is it today? を省略したいい方です。

26

05 主語が長いときに使う It is ～.

英語は is の左よりも右の方にたくさんことばがくるのが自然だと考えられているので、It + is 形容詞＋長い主語. のパターンを使うことが多いのです。

🔊 **20** 音読の目標 **12** 秒

① 英語を話すことはかんたんですよ。
　　□ かんたんな　easy 〔íːzi/ イーズィ〕
　　□ 〜を話す　speak 〔spíːk/ スピーク〕

② 英語をじょうずに話すことはかんたんではありません。
　　□ じょうずに　well 〔wel/ ウェオ〕

③ あなたにとって英語を話すことはかんたんですか。
　　□ あなたにとって　for you 〔fər juː/ フォ　ユー〕

④ 私にとって英語をじょうずに話すことはかんたんではないですよ。

⑤ ここで泳ぐのはむずかしいですよ。
　　□ むずかしい　hard 〔hɑːrd/ ハードゥ〕
　　□ 泳ぐ　swim 〔swim/ スウィム〕

① It's easy to speak English.

② It isn't easy to speak English well.

③ Is it easy for you to speak English?

④ It isn't easy for me to speak English well.

⑤ It's hard to swim here.

Point

●頭でっかちをさけよう！

① かんたんですよ　　　　〈何が？〉英語を話すこと
　　It's easy　　　　　　　to speak English.

② かんたんではないですよ　〈何が？〉英語をじょうずに話すこと
　　It isn't easy　　　　　　to speak English well.

③ かんたんですか　〈何が？〉あなたにとって英語を話すこと
　　Is it easy　　　　for you to speak English?

④ かんたんではないですよ　〈何が？〉私にとって英語をじょうずに話すこと
　　It isn't easy　　　　for me to speak English well.

⑤ むずかしいですよ　〈何が？〉泳ぐことは　〈どこで？〉ここで
　　It's hard　　　　　to swim　　　　here.

👉 ここが大切

"A is B." という英語があるとします。A のところにきている単語の数よりも B のところにきている単語の数が多い方が、自然な英語であると考えられています。

〈頭でっかちの英文〉
[×] To speak English is easy.
　　←とてもかたい表現なので、あまり使われない
[△] Speaking English is easy. ←使われることもある
〈自然な英文〉
[○] It's easy to speak English. ←よく使われる
[○] It's easy speaking English. ←よく使われる

01 形容詞の使い方 2 パターン

形容詞には、① 主語＋ be 動詞＋形容詞．② a 形容詞＋名詞の 2 つの使い方があります。
ただし、形容詞によっては、① だけしか使えないものと、② だけしか使えないものと、どちらも使えるものとがあります。

🔊 21　音読の目標　**7**　秒

① あなたはいそがしいですか。

② あなたはいそがしい人ですか。
　　　　　□ 人　person　〔pə́ːrsn／パースン〕

③ この通りはにぎやかなんですよ。
　　　　　□ 通り　street　〔striːt／スチュリートゥ〕

④ ここはにぎやかな通りです。

⑤ 直美さんの電話は話し中です。
　　　　　□ 直美さんの電話　Naomi's line
　　　　　〔naomiz lain／ナオミズ　ラーインヅ〕

① Are you busy?

② Are you a busy person?

③ This street is busy.

④ This is a busy street.

⑤ Naomi's line is busy.

Point

（1）主語＋ be 動詞＋形容詞．（2）a 形容詞＋名詞
　　両方で使える例

① あなたは　　　　　　　いそがしいですか。
　　Are you　　　　　　　busy?
② あなたは　　　　　　　いそがしい人ですか。
　　Are you　　　　　　　a busy person?
③ この通りは　　　　　　にぎやかなんですよ。
　　This street is　　　　busy.
④ ここは　　　　　　　　にぎやかな通りです。
　　This is　　　　　　　a busy street.
⑤ 直美さんの電話は　　　話し中です。
　　Naomi's line is　　　busy.

📖 これだけ覚えよう
busy は、（1）主語＋ be 動詞＋形容詞．
　　　　　　（2）主語＋ be 動詞＋ a 形容詞＋名詞．
の 2 つのパターンで使えます。

busy 〔bizi／ビズィ〕
（1）いそがしい
（2）にぎやかな〔交通量の多い〕
（3）（電話が）話し中の

02　主語＋ be 動詞＋形容詞でしか使えない形容詞もある

形容詞には「主語＋ be 動詞＋形容詞」の形でしか使えないものもあります。a からはじまる単語がそうです。

🔊 22　音読の目標　**10** 秒

① 酒井君は眠っていますよ。
　　□ 眠って　asleep 〔əsliːp/ アスリープ〕

② 私は一晩中眠れませんでした（目が覚めていました）。
　　□ 目が覚めて　awake 〔əweik/ アウェーイク〕
　　□ 一晩中　all night 〔ɔːl nait/ オーオ　ナーイトゥ〕

③ 私は夜に歩くのがこわくて歩けません。

④ 夜に歩くのをこわがるな。

⑤ このハエはまだ生きているよ。
　　□ ハエ　fly 〔flai/ フラーィ〕
　　□ まだ　still 〔stil/ スティオ〕

① Mr. Sakai is asleep.

② I was awake all night.

③ I'm 〔am〕 afraid to walk at night.

④ Don't be afraid of walking at night.

⑤ This fly is still alive.

Point

① 酒井君は　　　眠っています。
　Mr. Sakai is　　asleep.
② 私は目が覚めていました　　〈いつ?〉一晩中
　I was awake　　　　　　　　all night.
③ 私はこわくて歩けません　　〈いつ?〉夜に
　I'm 〔am〕 afraid to walk　　at night.
④ こわがるな　〈何について?〉歩くこと　〈いつ?〉夜に
　Don't be afraid　　of walking　　at night.
⑤ このハエはまだ　生きています。
　This fly is still　alive.

●形容詞で a からはじまっている単語は、主語＋ be 動詞＋ a　　　. の形になります。
命令文のときは、Be 〜 .
命令文の否定文のときは、Don't be 〜 .

📖 これだけ覚えよう
「a」をとると動詞になる単語
〔動詞〕眠る　sleep 〔sliːp ／スリープ〕
　　←〔形容詞〕眠って　asleep
〔動詞〕目が覚める　wake 〔weik ／ウェーイク〕
　　←〔形容詞〕目が覚めて　awake

💢 ここをまちがえる!
afraid to と afraid of
be afraid to walk → こわくて歩けません
be afraid of walking → 歩くのがこわいのです

29

03 びっくりしたら How ＋形容詞！ または What ＋名詞！

how には、「なんと」という意味があるので、How big!（なんと大きいのでしょう。）、
what は「何」という意味があるので、名詞とくっつきやすく、数えられる名詞には、What a ＋名詞、数えられなければ、What ＋名詞！のようになります。

🔊 23 音読の目標 **5** 秒

① なんて美しいの！
　　　　　　　□ なんと　how　〔hau／ハーゥ〕
　　　□ 美しい　beautiful　〔bjúːtəfl／ビューティフォー〕

② なんて男だ！
　　　　　　　□ なんと　what　〔wɑt／ワッ・〕
　　　　　　　□ 男　man　〔mæn／メァンヌ〕

③ なんてたくさんのアリなんだ！
　　　　□ アリ（複数形）ants　〔ænts／エァンツ〕

④ なんて天気なんだ！

⑤ なんてよい天気なんだ！
　□ よい天気　good weather　〔gud wéðər／グッ・ウェざァ〕

① How beautiful!

② What a man!

③ What ants!

④ What weather!

⑤ What good weather!

Point

① なんて美しいの！
　How beautiful!
② なんて男だ！
　What a man!　　　←男は1人なので
③ なんてたくさんのアリなんだ！
　What ants!　　　←たくさんのを s であらわしている
④ なんて天気なんだ！
　What weather!　　　←数えられない名詞
⑤ なんてよい天気なんだ！
　What good weather!　　　←数えられない名詞

📖 これだけ覚えよう ‥‥‥‥‥‥‥
How か What か
形容詞がきていると→ How ＋形容詞！
数えられる名詞がきていると→
What ＋ a（形容詞）＋名詞！

数えられない名詞がきていると→
What ＋（形容詞）＋名詞！

🗣 発音のコツ ‥‥‥‥‥‥‥
How ＋形容詞！は、How よりも形容詞を強くいって最後を下げます。
What ＋名詞！は、What よりも名詞を強くいって最後を下げます。

⚠ ここをまちがえる！ ‥‥‥‥‥‥‥
よい意味？ 悪い意味？
"What a man!"（なんて男だ！）は、ただおどろいているだけです。
よい意味でいっているのか、悪い意味なのかはっきりしたければ "What a strong man!"（なんて強い男なんだ！）のように形容詞を入れます。

04 びっくりしたらHow 形容詞 is！ または What a 形容詞＋名詞 is！

これはなんと小さい本なんだろう！　What a small book this is!
この本はなんと小さいのだろう！　How small this book is!
「どうする」にあたる部分がないので、is をおぎなっています。

🔊 24　音読の目標　**9** 秒

① なんて美しい花なんだろう！
　□ 花　flower 〔fláuər／フラーゥファァ〕

② これはなんて美しい花なんでしょう！

③ なんて美しいのだろう！

④ この花はなんて美しいのだろう！

⑤ 酒井先生（男性）はなんて背が
　高いのだろう！
　□ 背が高い　tall 〔tɔːl／トーォ〕
　□ ～氏、～さん、～先生　Mr. 〔místər／ミスタァ〕

① What a beautiful flower!

② What a beautiful flower this is!

③ How beautiful!

④ How beautiful this flower is!

⑤ How tall Mr. Sakai is!

beautiful

Point

① なんて美しい花なんでしょう！
　What a beautiful flower!
② なんて美しい花なんでしょう＋これは →➤ どうするがない！
　What a beautiful flower　　　　 this　is!
③ なんて美しいのだろう！
　How beautiful!
④ なんて美しいのだろう　＋この花は →➤ どうするがない！
　How beautiful　　　　 this flower　is!
⑤ なんて背が高いのだろう＋酒井先生は →➤ どうするがない！
　How tall　　　　　　 Mr. Sakai　is!

●感嘆文は、疑問文ではなく、肯定文の一種なので、感嘆文の内容を肯定文（普通の文）でいいかえることができます。

例) What a beautiful flower this is!
　→ This is a very beautiful flower.
　これはなんて美しい花なんでしょう！
　これはとても美しい花です。

例) How beautiful this flower is!
　→ This flower is very beautiful.
　この花はなんて美しいのだろう！
　この花はとても美しい。

💥 ここをまちがえる！

●「酒井先生」を "Teacher Sakai" といわずに、男の先生の場合は "Mr. Sakai"、女の先生の場合は "Ms. Sakai" というのが英語では正しいいい方です。ただし "Teacher Sakai" を使っている人もいます。

第1週　英文法きほんのきほん

第2週　中学で習ういろいろな文

第3週　覚えておきたい英語のルール

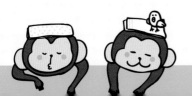

at →〜を聞いて、〜を見て、in →〜に関して、〜の点で、with →〜で、to →〜にいたるまで、〜へ、を　など
be ＋過去分詞形をしている形容詞といっしょに使う熟語があります。

🔊 25　音読の目標　**10**　秒

① 私は英語に興味があります。
　　□ 興味がある　interested
　　〔intəristid/ インタルスティッドゥ〕

① I'm〔am〕interested in English.

② 私はそのニュースを聞いて
　　おどろきました。
　　□ おどろいた　surprised〔sərpraizd/ サァプゥライズドゥ〕

② I was surprised at the news.

③ この箱は本でいっぱいです。
　　□ いっぱいにされた　filled〔fild/ フィォドゥ〕

③ This box is filled with books.

④ あの丘は雪でおおわれています。
　　□ おおわれた　covered〔kʌvərd/ カヴァアドゥ〕

④ That hill is covered with snow.

⑤ この歌はみんなに知られています。

⑤ This song is known to everyone.

Point

① 私は興味があります　〈何に関して?〉英語
　　I'm〔am〕interested　　　　in　English.

② 私はおどろきました　〈何を聞いて?〉そのニュース
　　I was surprised　　　　at　the news.

③ この箱はいっぱいです　〈何で?〉本
　　This box is filled　　with　books.

④ あの丘はおおわれています　〈何で?〉雪
　　That hill is covered　　with　snow.

⑤ この歌は知られています〈何にいたるまで?〉みんな
　　This song is known　　　to　everyone.

☞ ここが大切

●次の英語は①〜⑤と同じ意味です。受け身の形を元
の形にもどしただけです。

①→ English interests me.
　　（英語は私に興味をもたせる。）

②→ The news surprised me.
　　（そのニュースは私をおどろかせた。）

③→ Books fill this box.
　　（本がこの箱をいっぱいにしている。）

④→ Snow covers that hill.
　　（雪があの丘をおおっている。）

⑤→ Everyone knows this song.
　　（みんなはこの歌を知っている。）

01 「〜された」をあらわす be 動詞＋過去分詞形

動詞 help（助ける）の過去分詞形 helped（助けられる）は、形容詞と覚えましょう。主語の次に形容詞がくるときは動詞がないので、be＋形容詞にして、動詞のかわりをするのです。

🔊 26　音読の目標 **10** 秒

① この机は木でつくられています。
　　　　□ 木　wood　〔wud/ ウッドゥ〕

② チーズはミルクでつくられています。
　　　　□ チーズ　cheese　〔tʃiːz/ チーズ〕
　　　　□ ミルク　milk　〔milk/ ミオク〕

③ この歌はみんなに愛されています。
　　　　□ 歌　song　〔sɔːŋ/ ソーン・〕
　　　　□ みんな　everyone　〔evriwʌn/ エヴゥリワンヌ〕

④ この歌はみんなに知られています。
　　　　□ 知られる　known　〔noun/ ノーゥンヌ〕

⑤ 英語はここで話されていますよ。

① This desk is made of wood.

this desk / wood

② Cheese is made from milk.

③ This song is loved by everyone.

④ This song is known to everyone.

⑤ English is spoken here.

Point

● be 動詞＋過去分詞形は、「〜された」という受け身の意味をあらわします。

① この机はつくられています　〈何で?〉木
　This desk is made　　　　　　of　wood.
② チーズはつくられています　〈何から?〉ミルク
　Cheese is made　　　　　　from　milk.
③ この歌は愛されています　〈だれによって?〉みんな
　This song is loved　　　　　by　everyone.
④ この歌は知られています　〈だれに?〉みんな
　This song is known　　　　　to　everyone.
⑤ 英語は話されている　〈どこで?〉ここで
　English is spoken　　　　　　　　here.

📖 これだけ覚えよう
● 何から made（つくられた）のか、「〜で」で十分意味があらわせるときは of、「〜から」という日本語がぴったりのときは from を使います。

> of → 何でできているかが見てわかるとき
> from → 何でできているかが見ただけでは
> 　　　 わからないとき

✋ ここが大切
③→ Everyone loves this song.　みんなが愛する
　（みんながこの歌を愛している。）　努力をしている
④→ Everyone knows this song.
　（みんながこの歌を知っている。）
　◀ みんなが努力をしていないのに知っている

このように、**努力する必要があるときは by**、そうでないときは to を使っていると考えてください。

33

02

「〜される」「〜された」か、たずねるとき

疑問詞のついた受け身の疑問文は、「疑問詞＋ is ＋主語？」
で英語に直せます。このパターンの特徴は、Yes. No. で答えられないことです。

🔊 27　音読の目標 **10** 秒

① この机(つくえ)は木でできています。

② この机は木でできていますか。

③ この机は何でできていますか。
　　　　　□ 何　what　〔wɑt/ ワット〕

④ チーズは何で〔から〕できていますか。

⑤ あなたの自転車はどこでつくられましたか。
　　　□ どこで　where　〔weər/ ウェァ〕
　　□ あなたの　your　〔juər/ ユァァ / jɔːr/ ヨァァ〕
　　　　□ 自転車　bike　〔baik/ バイク〕

① This desk is made of wood.

② Is this desk made of wood?

③ What is this desk made of?

cheese ?

④ What is cheese made from?

⑤ Where was your bike made?

Point

① この机はできています　〈何で?〉 木
　This desk is made　　　　　　 of wood.

② この机はできていますか　〈何で?〉 木
　Is this desk made　　　　　 of wood?

● Yes. No. で答えられない文は、What、Where から
はじめます。

③ この机はできていますか ＋ 〈何で?〉
　is this desk made　　　　 of What?

④ チーズはできていますか ＋ 〈何で?〉
　is cheese made　　　　 from What?

⑤ 〈どこで?〉あなたの自転車はできましたか。
　Where was your bike made?

ここが大切

疑問文をつくるステップ

例 This desk is made of wood.
　（この机は木でできています。）

この太字の部分を問う英語をつくる練習をしましょう。

（1）まずは、この英語を疑問文にします。

　例 Is this desk made of wood?

（2）次に、wood の部分をたずねるための単語が何かを考えます。→ what（何）であることがわかります。

（3）そして、最後に疑問詞＋疑問文？のパターンにあてはめます。

　例 What is this desk made of?
　　（この机は何でできていますか。）

03　to ＋動詞① 「〜すること」

英語では、動詞が 2 つ重（かさ）なるのをさけるために to ＋動詞で「〜すること」という名詞のはたらきをするいい方にかえて動詞の次におきます。

🔊 **28**　音読の目標　**10** 秒

① 私は歌うのがとても好きです。
　　　　□ 〜が好きです　like 〔laik/ ラーイク〕
　　　　□ とても　very much 〔veri mʌtʃ/ ヴェッリィ　マッチ〕

② 私は歌うのが大好きです。

③ 私は直美さんとテニスをしたい。
　　　　□ 〜したい　want to 〔wɑnt tə/ ワン・トゥ〕

④ 私はあなたとテニスをさせて
　いただきたい。
　　　　□ 〜させていただきたい　'd like to
　　　　〔d laik te/ ドゥ ラーィ・トゥ〕

⑤ 私の夢はテニスの選手になることです。
　　□ 私の夢　my dream 〔mai dri:m/ マーィ　ジュリーム〕

① I like to sing very much. love

② I love to sing.

③ I want to play tennis with Naomi.

④ I'd like to play tennis with you.

⑤ My dream is to be a tennis player.

Point

	〈何が?〉	〈どれぐらい?〉
① 私は好きです	歌うこと	とても
I like	to sing	very much.

	〈何が?〉	
② 私は大好きです	歌うこと	
I love	to sing.	

	〈何が?〉	〈だれと?〉
③ 私はほしい	テニスをすること	直美さん
I want	to play tennis	with Naomi.

	〈何が?〉	〈だれと?〉
④ 私はいただきたい	テニスをすること	あなた
I'd like	to play tennis	with you.

	〈何なの?〉	〈何に?〉
⑤ 私の夢なんですよ	なること	テニスの選手
My dream is	to be	a tennis player.

📢 ここが大切

● ①② like 〜 very much ＝ love 〜（とても好き）

● ③④ "want to"（したい）のていねいないい方が、"'d like to"（〜させていただきたい）です。

● ⑤ "to be" のかわりに "to become" を使うこともできますが、話し言葉では、"to be" を使うのが普通です。少しだけ意味合いがちがいます。

┌ to be a tennis player　　　→テニスの選手になってずっと続けること
└ to become a tennis player →テニスの選手になること

第1週　英文法きほんのきほん

第2週　中学で習ういろいろな文

第3週　覚えておきたい英語のルール

04 to ＋動詞②
「〜して」、「〜するために」

副詞の部分は、つけくわえ（おまけ）になっているので、to ＋動詞の部分がなくても、残りの英語で意味がわかります。
to ＋動詞で「〜して（理由）」、「〜するために（目的）」をあらわします。

🔊 29　音読の目標　**8**　秒

① 私はあなたに会えてうれしいですよ。
　　　□ うれしい　happy　〔hǽpi/ ヘァ ピィ〕
　　　□ 会う　see　〔síː/ スィー〕

② 私はそのニュースを聞いておどろいています。
　　　　　　　　□ おどろいて　surprised
　〔sərpráizd/ サァ プゥ ラーイ ズ ドゥ〕
　　　□ 〜を聞く　hear　〔híər/ ヒァァ〕
　　　□ ニュース　news　〔njúːz/ ニュー ズ〕

③ 私はそれを聞いて残念です。

④ 私はあなたに会うためにここに来ました。

⑤ 私はあなたを手伝いにここに来ました。

① I'm 〔am〕 happy to see you.

② I'm 〔am〕 surprised to hear the news.

③ I'm 〔am〕 sorry to hear that.

④ I came here to see you.

⑤ I came here to help you.

Point

	〈なぜ?〉	〈だれに?〉
① 私はうれしいですよ	会える	あなた
I'm 〔am〕 happy	to see	you.

	〈なぜ?〉	〈何を?〉
② 私はおどろいています	聞く	そのニュース
I'm 〔am〕 surprised	to hear	the news.

	〈なぜ?〉	〈何を?〉
③ 私は残念です	聞く	それ
I'm 〔am〕 sorry	to hear	that.

	〈どこに?〉	〈何のために?〉	〈だれに?〉
④ 私は来ました	ここに	会う	あなた
I came	here	to see	you.

	〈どこに?〉	〈何のために?〉	〈だれを?〉
⑤ 私は来ました	ここに	手伝う	あなた
I came	here	to help	you.

📖 これだけ覚えよう

I'm happy　　＋　to see you.
私はうれしい　　　副詞（おまけ）

"to see you" の部分がなくても意味がわかるので、副詞的に使われています。

👉 ここが大切

● to ＋動詞を日本語に訳すときは、理由や目的が to より後にのべられていることに注意しましょう。
　例 I'm happy（私はうれしい）
　　　〈なぜ?〉 to see you.
　　　　　（あなたに会えているから）
　例 I came here（私はここに来ました）
　　　〈何の目的で?〉 to see you.
　　　　　（あなたに会うために）

05　to ＋動詞③「〜するための」

to ＋動詞の部分が形容詞のはたらきをしているときがあります。
名詞の後において名詞をくわしく説明しています。

🔊 30　音読の目標　**10**　秒

① 私に何か飲むものをもって来てよ。
　□ 私にもって来る　bring me　〔briŋ mi:/ ブゥリン・ミー〕
　　　　　　□ 何か　something　〔sʌmθiŋ/ サムすィン・〕

② 私に何か冷たい飲みものをもって来てよ。
　　　　つめ

③ 何かめし上がりますか。

④ 私はきょうは何もすることはありません。
　□ 何か　anything　〔eniθiŋ/ エニィすィン・〕

⑤ 私はあなたにいうことは何もありません。
　□ あなたにいう　tell you　〔telju:/ テリュー〕

① Bring me something to drink.

② Bring me
　something cold to drink.

③ Would you like something to eat?

④ I don't have anything to do today.

⑤ I don't have anything to tell you.

Point

	〈だれに?〉	〈何を?〉	〈何の**ための**?〉	
① もって来てよ	私に	何か	飲む	
Bring	me	something	to drink.	

	〈だれに?〉	〈何を?〉	〈何の**ための**?〉	
② もって来てよ	私に	何か冷たいもの	飲む	
Bring	me	something cold	to drink.	

		〈何を?〉	〈何の**ための**?〉	
③ いかがですか		何か	食べる	
Would you like		something	to eat?	

	〈何を?〉	〈何の**ための**?〉	〈いつ?〉	
④ 私はもっていません	何か	する	きょう	
I don't have	anything	to do	today.	

	〈何を?〉	〈何の**ための**?〉	〈だれに?〉	
⑤ 私はもっていません	何か	いう	あなた	
I don't have	anything	to tell	you.	

👉 ここが大切

● something と to ＋動詞のように考えるとわかりやすいですよ。

① drink something　→ something to drink
　（何かを飲む）　　　（何か飲むもの）

② drink something cold → something cold to drink
　（何か冷たいものを飲む）（何か冷たい飲みもの）

⑤ tell you anything　→ anything to tell you
　（何かをあなたにいう）（あなたにいうべき何か
　　　　　　　　　　　　　〔こと〕）

● something や anything を "to ＋動詞" の部分が説明していて、全体では名詞のはたらきをするかたまりになっています。

　I don't have anything 〜. ＝ I have nothing 〜.

37

01 現在完了形①
過去から今まで続いている

have ＋過去分詞形で、過去の状態が今まで続いているということをあらわすことができます（現在完了形の継続^{けいぞく}用法）。

🔊 31 　音読の目標 **15** 秒

① 私はきのうから（ずっと）いそがしい。
　　　　　□ きのうから　since yesterday
　〔sins jestərdei/ スィンス　いェスタァデー〕

② 私は５０年間丹波篠山^{たんばささやま}に住んでいます。
　　　　　□ ５０年間　for fifty years
　〔fər fifti jiərz/ フォ　フィフティ　いャ〜ズ〕

③ 私は去年^{きょ}から熊本市に住んでいます。
　　　　　□ 去年　last year　〔læst jiər/ レァスチャァ〕

④ 私は５日前から松本市にいます。

⑤ 私は５０年間英語の教師をしています。

① I have been busy since yesterday.

② I have lived in Tamba-Sasayama for fifty years.

③ I have lived in Kumamoto City since last year.

④ I have been in Matsumoto City for five days.

⑤ I have been an English teacher for fifty years.

Point

① 私はずっといそがしい　　　　　〈いつから?〉 きのう
　I have been busy　　　since yesterday.

② 私はずっと住んでいます　丹波篠山　〈どこに?〉 〈どれぐらいの間?〉 ５０年
　I have lived　in Tamba-Sasayama　for fifty years.

③ 私はずっと住んでいます　熊本市　〈どこに?〉 〈いつから?〉 去年
　I have lived　in Kumamoto City　since last year.

④ 私はずっといます　松本市　〈どこに?〉 〈どれぐらいの間?〉 ５日
　I have been　in Matsumoto City　for five days.

⑤ 私はずっと英語の教師をしています　〈どれぐらいの間?〉 ５０年
　I have been an English teacher　for fifty years.

📖 これだけ覚えよう

① 　I am busy now.（私は今いそがしい。）
＋) I was busy yesterday.
　　　　　　　（私はきのういそがしかった。）
─────────────────────────
I am + was　busy　now + yesterday.
I have been　busy　since　yesterday.
　　　　　　私はきのうから今までいそがしい。

●④では５日前からを５日間と考えて英語に直してください。
文法的に「since と ago（前）をいっしょに使ってはいけない」という決まりがあるので、"for five days"（５日間）にしておくと無難です。

🗣 発音のコツ

●⑤の "English teacher" は、「先生〈何の?〉英語」と考えて、英語が大切なので "English" を強くいいます。

02　現在完了形②　過去の経験と思い出

have ＋過去分詞形で過去の経験(けいけん)をあらわすことができます。
普通の過去形は過ぎ去ったこととして事実をのべているのに対し、現在完了形を使うと、今も心の中に過去の経験があざやかに残っていて、このパターンを使っている理由が相手に伝わります。

🔊 32　音読の目標　**9**　秒

① あなたは今までに京都へ行ったことがありますか。　□今までに　ever 〔evər/ エヴァ〕
　　　　□〜へ行った　been to 〔bin tə/ ビントゥ〕

② あなたは今までに東京タワーを見たことがありますか。
　　　　□〜を見た　seen 〔si:n/ スィーンヌ〕

③ あなたは今までに富士山に登ったことがありますか。
　　　　□〜に登った　climbed 〔klaimd/ クラーイムドゥ〕

④ あなたは今までにすしを食べたことはありますか。
　　　　□〜を食べた　eaten 〔i:tn/ イートゥンヌ〕

⑤ 私は一度も東京に住んだことがありません。
　　　　□決して〜ない　never 〔nevər/ ネヴァ〕

① Have you ever been to Kyoto?

② Have you ever seen Tokyo Tower?

③ Have you ever climbed Mt. Fuji?

④ Have you ever eaten sushi?

⑤ I have never lived in Tokyo.

Point

① あなたはありますか　今までに　行った　京都
　Have you　ever　been　to Kyoto?

② あなたはありますか　今までに　見た　東京タワー
　Have you　ever　seen　Tokyo Tower?

③ あなたはありますか　今までに　登った　富士山
　Have you　ever　climbed　Mt. Fuji?

④ あなたはありますか　今までに　食べた　すし
　Have you　ever　eaten　sushi?

⑤ 私は経験が一度もない　住んだ　東京
　I have　never　lived　in Tokyo.

👉 ここが大切

●「今までに」という意味の ever は、疑問文と否定文では使うことができますが、肯定文（〜です）の文では使うことはできません。
［×］I have ever been to Kyoto.
［○］I have been to Kyoto once before.
（私は今までに一度京都へ行ったことがあります。）
●①②③④の英文に対して答えるときに、「いいえ。」なら、"No, I haven't." または "No, I never have." といいます。
●「今までに一度も〜ない」には、never, not ever, not once を使います。
　例 私は一度も丹波篠山(たんばささやま)へ行ったことがありません。
　I have〔never, not ever, not once〕been to Tamba-Sasayama.

03

現在完了形③
完了した状態が今も続いている

過去だけのことについてふれているときは、過去形を使いますが、完了した状態を今ももち続けているときは、have ＋過去分詞形であらわすことができます。

🔊 **33**　音読の目標　**8**　秒

① 直美さんはテニスの選手になった。
〔今のことはわからない〕
　　　　□〜になった　became 〔bikéim/ ビケーィム〕

② 直美さんはテニスの選手になった。
〔今も選手だ〕　　□〜になったまま　has become
　　　　　　　　〔həz bikʌ́m/ ハズ　ビカム〕

③ 私は私のペンを失った。
〔今のことはふれていない〕
　　　　　　□〜を失った　lost 〔lɔːst/ ローストゥ〕

④ 私は私のペンを失った。
〔今も失ったまま〕

⑤ 直美さんはアメリカへ行った。
〔だからここにはいない〕
□〜に行ったまま　has gone 〔həz gɔːn/ ハズ　ゴーンヌ〕

① Naomi became a tennis player.

② Naomi has become a tennis player.

③ I lost my pen.

④ I have lost my pen.

⑤ Naomi has gone to America.

a tennis player

Point

① 直美さんはなった　〈何に?〉テニスの選手
Naomi became　　　a tennis player.

② 直美さんはなったままだ　〈何に?〉テニスの選手
Naomi has become　　　a tennis player.

③ 私は失った　〈何を?〉私のペン
I lost　　　my pen.

④ 私は失ったままだ　〈何を?〉私のペン
I have lost　　　my pen.

⑤ 直美さんは行ったままだ　〈どこへ?〉アメリカ
Naomi has gone　　to America.

📖 これだけ覚えよう

●過去形を使うか、現在完了形を使うかは、今のことにふれるか、ふれないかによります。
　今のことにふれる　⇒現在完了形
　ふれない　　　　　⇒過去形
●学校英語では、「行ったことがある」を "have been to" と習いますが、"have gone to" を使うこともできます。
ただし、主語が I または You の場合に限られます。
その場所にいない人が主語の場合に "has gone to" を使うと、「〜へ行って、もうここにはいない」をあらわします。
例 I have 〔gone, been〕 to America.
　（私はアメリカへ行ったことがあります。）

04　現在完了形の疑問文とその答え方

How many 〔years, days〕（何年、何日）、How many times（何回）、How often（何回）、How long（どれぐらい、いつから）、Since when（いつから）の次に現在完了形の疑問文をつけることができます。

🔊 **34**　音読の目標 **11** 秒

① あなたは何年ここに住んでいますか。
　　　　□ live の過去分詞形　lived 〔livd／リヴドゥ〕
　　　　　□ ここに　here 〔hiər／ヒアァ〕

② あなたはいつからここに住んでいますか。

③ あなたはいつからここに住んでいますか。
　〔since を使って〕

④ あなたは何回アメリカへ行ったことがありますか。
　　　　□ アメリカ　America 〔əmerikə／アメゥリカ〕

⑤ あなたは何回アメリカへ行ったことがありますか。　〔often を使って〕
　　　　　□ しばしば　often 〔ɔ:fn／オーフン〕

① How many years have you lived here?

② How long have you lived here?

③ Since when have you lived here?

④ How many times have you been to America?

⑤ How often have you been to America?

Point

① 何年　　　　＋あなたはここに住んでいますか。
　How many years ＋ have you lived here?
② いつから　　＋あなたはここに住んでいますか。
　How long　＋ have you lived here?
③ いつから　　＋あなたはここに住んでいますか。
　Since when ＋ have you lived here?
④ 何回　　　　＋あなたはアメリカへ行ったことがありますか。
　How many times ＋ have you been to America?
⑤ 何回　　　　＋あなたはアメリカへ行ったことがありますか。
　How often　＋ have you been to America?

 発音のコツ
"lived here" は〔livd hiər／リヴドゥ　ヒアァ〕と発音すると習いますが、h の音は非常に弱いので、アメリカ人が発音すると、〔livdiər／リヴディ アァ〕のように聞こえる可能性があります。

📖 これだけ覚えよう
回数や期間のいい方
いつから＝ How long ＝ Since when
何回＝ How many times ＝ How often
1回　once 〔wʌns／ワンス〕
2回　twice 〔twais／チュワーィス〕
3回　three times 〔θri: taimz／すゥリー　タームズ〕
3回より回数が多いときは、〜 times を使います。

05 「もう」「まだ」「ちょうど」の yet, already, just

Have you ~ yet ?（もうしましたか。）、I have not ~ yet.（まだしていません。）、I have already ~.（もうしましたよ。）、I have just ~.（ちょうどしたところ。）を現在完了形の完了用法といいます。

🔊 35　音読の目標 **10** 秒

① あなたはもうこの本をよみましたか。
　　　　　□ もう　yet〔jet/ いェッ・〕

② 私はまだこの本をよんでいません。
　　　　　□ have の否定形　haven't〔hǽvnt/ ヘァヴン・〕

③ 私はもうすでにこの本をよみました。
　　　　　□ もうすでに　already〔ɔ:lrédi/ オーオゥレディ〕

④ 私はちょうどこの本をよんだところ
です。　　　　□ ちょうど　just〔dʒʌst/ ヂァストゥ〕

⑤ 私はちょうどこの本をよみおえたところ
です。
　　　　　□ おえた　finished〔fíniʃt/ フィニッシトゥ〕

① Have you read this book yet?

② I haven't〔have not〕read this book yet.

③ I have already read this book.

④ I have just read this book.

⑤ I have just finished reading this book.

read

this book

Point

① あなたはこの本をよみましたか　＋もう
　Have you read this book　　　　yet?
② 私はこの本をよんでいません　　＋まだ
　I haven't〔have not〕read this book　yet.
③ 私は　＋もうすでに　この本をよみました。
　I have　already　read this book.
④ 私は　＋ちょうど　この本をよんだところです。
　I have　just　　read this book.
　　　　　　　　〈何をした?〉〈何を?〉
⑤ 私は　＋ちょうど　おえました　この本をよむこと
　I have　just　　finished　reading this book.

 これだけ覚えよう

yet, already, just をおく場所
肯定文：already を have の次におく（もう~しました）
　　　　just を have の次におく
　　　　（ちょうど~したところです）
疑問文：yet を文の最後におく（もう~しましたか）
否定文：yet を文の最後におく（まだ~していません）

🐵 発音のコツ

●現在完了形では、have ＋過去分詞形のときの have
をふつうは強くよみません。
● have ＋過去分詞形で read を使うときは、〔ゥレッドゥ〕
とよみます。
read　原形・現在形は〔ri:d /ゥリードゥ〕
　　　過去形・過去分詞形は〔red /ゥレッドゥ〕
reading　ing 形は〔ri:diŋ /ゥリーディン・〕

第2週

中学で習う
いろいろな文

01 第1文型→主語＋動詞の文

第1文型は、主語＋動詞　または　主語＋動詞＋副詞句（おまけのはたらきをする語句）で意味がわかるパターンのことです。

🔊 **36**　音読の目標　**6**　秒

① 金がものをいう。
　　□ 金がものをいう。　Money talks.
　　〔mʌni tɔːks/マーニィ　トークス〕

② 私は気にしていませんよ。
　　□ 私は気にしていませんよ。　I don't care.
　　〔ai dount keər/アーィ　ドーゥン・ケアァ〕

③ この本はよく売れています。
　　□ 売れている　is selling〔iz seliŋ/イズ　セリン・〕
　　□ よく、じょうずに　well〔wel/ウェォ〕

④ 私は口べたです。〔私はじょうずに話せません。〕

⑤ 私は一生懸命努力しますよ。
　　□ 一生懸命に　hard〔hɑːrd/ハードゥ〕

① Money talks.

 I don't care.

② I don't care.

③ This book is selling well.

④ I can't speak well.

⑤ I'll〔will〕try hard.

Point

① 金がものをいう。
　　Money talks.
② 私は気にしていませんよ。
　　I don't care.
③ この本は売れています　〈どんなに?〉よく
　　This book is selling　　　　　well.
④ 私は話せません　〈どんなに?〉じょうずに
　　I can't speak　　　　　　well.
⑤ 私は努力します　〈どんなに?〉一生懸命に
　　I'll〔will〕try　　　　　　hard.

● 主語＋動詞
① Money ＋ talks.
② I ＋ don't care.
● 主語＋動詞＋副詞
③ This book ＋ is selling ＋ well.
④ I ＋ can't speak ＋ well.
⑤ I ＋ will try ＋ hard.

ここはなくても意味が通じる!

🐵 発音のコツ

● can't speak〔kænt spiːk／キャン・スピーク〕
（話すことができない）
〔キャン・〕と強くいっているときは、can't と思ってまちがいありません。
● I'll〔will〕try〔ail trai／アーィオ　チュラーィ〕
（私は努力します）

02 第2文型→主語＋be動詞＋形容詞〔または名詞〕の文

第2文型は、主語＋be動詞のところだけでは、意味がはっきりしないので、be動詞の次に形容詞（または名詞のはたらきをすることば）をおいて意味がはっきりするようにします。
be動詞のかわりに、他の動詞がくることもあります。

🔊 37　音読の目標　**7**　秒

① 夕食ができていますよ。
　　　　□ 夕食　dinner　〔dinər/ ディナァ〕
　　　　□ 用意ができて　ready　〔redi/ ゥレディ〕

② あなたはうれしそうですね。
　　　　□ ～のように見える　look　〔luk/ ルック〕

③ 私は寒気（さむけ）がします。
　　　　□ ～のように感じる　feel　〔fi:l/ フィーォ〕

④ それはおもしろそうですね。
□ 聞くと～のように聞こえる　sound　〔saund/ サーゥンドゥ〕
　　　　　□ おもしろい　interesting
〔intəristiŋ/ インタゥレスティン・〕

⑤ 佐知子さんはよい奥さんに
なるでしょう。

① Dinner is ready.

② You look happy.

③ I feel cold.

④ That sounds interesting.

⑤ Sachiko will be a good wife.

Point

●主語＋be動詞（または動詞）＋形容詞（または名詞）
① 夕食が　　　　できていますよ
　Dinner　＋ is ＋ ready.
② あなたは　　　うれしそうですね
　You　＋ look ＋ happy.
③ 私は　　　　　寒気がします
　I　＋ feel ＋ cold.
④ それは　　　　おもしろそうですね
　That　＋ sounds ＋ interesting.
⑤ 佐知子さんは　なるでしょう　よい奥さんに
　Sachiko　＋ will be　＋ a good wife.

📖 これだけ覚えよう
be動詞の代わりに入れられる動詞
・look　外見上～のように見えるが、実際もそうだろう
・feel　～のように感じる、さわると～のように感じる
・sound　～を聞くと、～のように聞こえる〔思える〕

⚠ ここをまちがえる！
⑤ "will be" も "will become" も「なる」という意味で使われますが、ちょっと意味がちがうので注意しましょう。
Sachiko will be a good wife.
　（佐知子さんはよい人だから、将来もよい奥さんになるでしょう。）
Sachiko will become a good wife.
　（佐知子さんは今はよい人ではなくても、将来はよい奥さんになるでしょう。）

第3文型→主語＋動詞＋名詞の文

第3文型は、「だれがどうする」をまずおくと、かならず〈何を？〉という疑問が生まれるので、答えとなる名詞をおくパターンです。
このときの名詞を、文法用語で目的語といいます。

🔊 38　音読の目標　**7**　秒

① 私はあなたがいうことを信じています。
　　　　□ あなたのいうことを信じる　believe you
　　　　　[bili:vju:/ ビリーヴュー]

② 私は泳ぎたい。

③ 私は泳ぐのを楽しみました。
　　　　□ ～を楽しんだ　enjoyed　[indʒɔid/ インヂョイド]

④ 私は何をすべきかわかりません。
　　　　□ 何をすべきかということ　what to do
　　　　　[wɑt tə du:/ ワッ・トゥ・ドゥー]

⑤ たばこをすうのをやめなさい。
　　　　□ ～をやめる　stop　[stɑp/ スタップ / stɔp/ ストップ]
　　　　□ たばこをすうこと　smoking
　　　　　[smoukiŋ/ スモーウキン・]

① I believe you.

② I want to swim.

③ I enjoyed swimming.

④ I don't know what to do.

⑤ Stop smoking.

enjoy
swimming

Point

●主語＋動詞＋名詞

① 私は　信じています　〈何を?〉あなたがいうこと
　I　　believe　　　　　　　you.
② 私は　ほしい　　　　〈何を?〉泳ぐこと
　I　　want　　　　　　　　to swim.
③ 私は　楽しみました　〈何を?〉泳ぐこと
　I　　enjoyed　　　　　　　swimming.
④ 私は　わかりません　〈何を?〉何をすべきかということ
　I　　don't know　　　　　　what to do.
⑤ やめなさい　　　　〈何を?〉たばこをすうこと
　Stop　　　　　　　　　　smoking.

👉 ここが大切

to と ing のちがい

第3文型では、動詞の次に名詞のはたらきをすることばがでてきます。

たとえば、"to swim" と "swimming" はどちらも「泳ぐこと」という名詞のはたらきをしています。

- 未来のことをあらわしているときは、to swim
- すでにしていることをやめる（た）ときは、swimming

"I want to swim." では、気もちが未来に向かって進んでいます。

"Stop smoking." では、たばこをすうことをやっていて、それをやめなさいといいたいので、smoking になっています。

"Stop to smoke." だと（たばこをすうために立ち止まりなさい。）の意味になります。

04 第4文型→主語＋動詞＋名詞＋名詞の文

第4文型は、「〜を」と「〜に」が入っている日本文を訳すときに、「主語＋動詞＋人＋物」で並べると正しい英語になるパターンです。

🔊 39　音読の目標　**7**　秒

① 私にあなたの写真を1枚見せてくださいよ。
　□ どうぞ　please〔pliːz/ プリーズ〕
　□ 〜を見せる　show〔ʃou/ ショーゥ〕

② 私にあなたの写真を1枚くださいよ。
　□ 〜をくれる　give〔giv/ ギゥ〕
　□ 写真　picture〔piktʃər/ ピクチァァ〕

③ 私に英語を教えてくださいよ。
　□ 〜を教える　teach〔tiːtʃ/ ティーチ〕

④ 私に本当のことをいってくださいよ。
　□ 〜をいう　tell〔tel/ テォ〕

⑤ 私にタクシーを呼んでくださいよ。

① Please show me your picture.

② Please give me your picture.
③ Please teach me English.
④ Please tell me the truth.
⑤ Please call me a taxi.

Point

●主語＋動詞＋人＋物

① 見せてくださいよ〈だれに?〉私に〈何を?〉あなたの写真を1枚
Please show me your picture.

② くださいよ 私に あなたの写真を1枚
Please give me your picture.

③ 教えてくださいよ 私に 英語
Please teach me English.

④ いってくださいよ 私に 本当のこと
Please tell me the truth.

⑤ 呼んでくださいよ 私に 1台のタクシー
Please call me a taxi.

例文は主語がすべて you ですが、命令文なので省略されています!

⚠️ ここをまちがえる!
第3文型

主語	動詞	名詞	
I	teach	English.	（私は英語を教えます。）
I	tell	the truth.	（私は本当のことをいいます。）

第4文型

主語	動詞	名詞(人)	名詞（物）
I	teach	you	English.
I	tell	you	the truth.

（私はあなたに英語を教えます。）
（私はあなたに本当のことをいいます。）

🗣 発音のコツ

tra, tri, tru, tre, tro のように tr の次に a, i, u, e, o がきているときは、チュラ、チュリ、チュル、チュレ、チュロといえば英語らしく聞こえます。

05 第5文型→主語＋動詞＋名詞＋名詞〔または形容詞〕の文

第5文型は、主語＋動詞＋名詞＋名詞〔または形容詞〕のパターンです。
1つめの名詞　is　2つめの名詞〔または形容詞〕で意味がわかるとき、第5文型であると考えましょう。

🔊 **40** 音読の目標 **9** 秒

① 私たちは、私たちのむすこをトニーと名づけました。
　　□ 〜を名づけた　named　〔neimd/ネームドゥ〕
　　　　　　□ むすこ　son　〔sʌn/サンヌ〕

② 私をトニーと呼んでね。

③ 私はあなたをしあわせにしますよ。

④ 私はあおいさんがおどっているのを見ました。
　　　　　□ 〜を見た　saw　〔sɔː/ソー〕
　　□ おどっている　dancing　〔dænsiŋ/ダンスィン・〕

⑤ 私は直美さんが歌っているのを聞きました。
　　　　□ 〜を聞いた　heard　〔həːrd/ハ〜ドゥ〕
　　□ 歌っている　singing　〔siŋiŋ/スィンギン・〕

① We named our son Tony.

② Call me Tony.

③ I'll 〔will〕 make you happy.

④ I saw Aoi dancing.

⑤ I heard Naomi singing.

Point

● 主語＋動詞＋名詞＋名詞〔形容詞〕

		〈だれを?〉		〈何と?〉
① 私たちは	名づけました	私たちのむすこを		トニー
We	named	our son	is	Tony.
		〈だれを?〉		〈何と?〉
② 呼んでね		私を		トニー
Call		me	(= I) am	Tony.
		〈だれを?〉		〈どのように?〉
③ 私は	しますよ	あなたを		しあわせな状態に
I'll 〔will〕	make	you	are	happy.
		〈だれを?〉		〈どうしていた?〉
④ 私は	見ました	あおいさん		おどっている
I	saw	Aoi	was	dancing.
		〈何を?〉		
⑤ 私は	聞きました	直美さんが歌っているところ		
I	heard	Naomi	was	singing.

📖 これだけ覚えよう

よく使うパターン

① name A B	A を B と名づける
② call A B	A を B と呼ぶ
③ make A B	A を B の状態にする
④ see A B〔ing〕	A が B する〔している〕のを見る
⑤ hear A B〔ing〕	A が B する〔している〕のを聞く

💥 ここをまちがえる!

第4文型と第5文型のちがい

〔第4文型〕私にタクシーを呼んでください。
　　　　　Please call me a taxi.
〔第5文型〕私をタクシーと呼んでください。
　　　　　Please call me Taxi.

01 第4文型と第3文型のいいかえ①

日本語の～をと～にが入っているとき、「主語＋動詞＋人＋物」のパターンで英語に直すと第4文型、「主語＋動詞＋物＋to＋人」で英語に直すと第3文型になります。

🔊 41　音読の目標　**7**　秒

① 私に英語を教えてください。
　　□ ～してください　please　〔pliːz / プリーズ〕
　　□ ～を教える　teach　〔tiːtʃ / ティーチ〕

② 私に英語を教えてください。〔to を使って〕

③ 私にあなたの写真を1枚見せてください。
　　□ ～を見せる　show　〔ʃou / ショーゥ〕

④ 私にあなたの写真を1枚見せてください。〔to を使って〕

⑤ 私にあなたの写真を1枚ください。
　　〔to を使って〕　　□ ～をくれる　give　〔giv / ギヴ〕

① Please teach me English.

② Please teach English to me.

③ Please show me your picture.

④ Please show your picture to me.

⑤ Please give your picture to me.

Point

● 「主語＋動詞＋ 人 ＋物」⇆「主語＋動詞＋物＋ to ＋ 人 」

　　　　　　　　〈だれに?〉〈何を?〉
① 教えてください　私に　英語　第4文型
　　Please teach　me　English.

　　　　　　　　〈何を?〉〈だれに?〉
② 教えてください 英語　私　第3文型
　　Please teach　English　to　me .

　　　　　　　　〈だれに?〉〈何を?〉
③ 見せてください　私に　あなたの写真を1枚　第4文型
　　Please show　me　your picture.

　　　　　　　　〈何を?〉　　　　〈だれに?〉
④ 見せてください あなたの写真を1枚　私　第3文型
　　Please show　your picture　to　me .

　　　　　　　　〈何を?〉　　　　〈だれに?〉
⑤ ください　あなたの写真を1枚　私　第3文型
　　Please give　your picture　to　me .

📖 これだけ覚えよう

to を使って第3文型にできる動詞
「～を」と「～に」がきているときに to を使っていいかえることができるのは、直接私に教えてくれる、見せてくれる、与えてくれるのように考えることができる動詞の場合です。
write〔rait / ゥラーィトゥ〕～を書く
send〔send / センドゥ〕～を送る
　例 私に手紙を書いてください。
　　Please write a letter to me.
　例 私にあなたの写真を1枚送ってください。
　　Please send your pictute to me.

02 第４文型と第３文型のいいかえ②

第４文型を第３文型にいいかえたいとき、
直接的(ちょくせつ)にその人に〜するならば to を使いますが（前項）、
間接的(かんせつ)にその人に〜するならば for を使います。

🔊 42　音読の目標　**10** 秒

① 私にこの本を買ってください。
　　　□ 〜を買う　buy　[bai/ バーイ]

② 私にこの本を買ってください。〔for を使って〕

③ 私によい仕事の口を見つけてください。
　　　□ 〜を見つける　find　[faind/ ファーインドゥ]
　　　□ 仕事　job　[dʒab/ ヂャブ]

④ 私によい仕事の口を見つけてください。
〔for を使って〕　　　□ 仕事を見つける　find a job
　　　[faində dʒab/ ファーインダ　ヂャブ]

⑤ 私によい仕事の口を見つけて〔手に入れて〕
ください。　□ 〜を手に入れる　get　[get/ ゲットゥ]
　　　□ 仕事を手に入れる　get a job
　　　[getə dʒab/ ゲター　ヂャブ]

① Please buy me this book.

② Please buy this book for me.

③ Please find me a good job.

④ Please find a good job for me.

⑤ Please get a good job for me.

Point

● 「主語＋動詞＋人＋物」 ⇆ 「主語＋動詞＋物＋ for ＋人」

　　　　　　　〈だれに?〉　〈何を?〉
① 買ってください　私に　　　この本
　 Please buy　　 me　　　this book.　第４文型
　　　　　　　〈何を?〉　　〈だれのために?〉
② 買ってください　この本　　私
　 Please buy　　 this book　for me .　第３文型
　　　　　　　〈だれに?〉　〈何を?〉
③ 見つけてください　私に　　よい仕事
　 Please find　　 me　　　a good job.　第４文型
　　　　　　　〈何を?〉　　〈だれのために?〉
④ 見つけてください　よい仕事　私
　 Please find　　 a good job　for me .　第３文型
　　　　　　　〈何を?〉　　〈だれのために?〉
⑤ 手に入れてください　よい仕事　私
　 Please get　　 a good job　for me .　第３文型

🖐 ここが大切

for は「〜の代わりに」と考えてみよう
buy（買ってください）、find（見つけてください）、
get（手に入れてください）と相手に頼(たの)んでいるので、
直接ではなく間接的に自分のところに this book（この
本）や a good job（よい仕事）がきます。
それで to ではなく、for を使っています。
ここで出てくる for については「〜の代わりに」「〜
のために」という意味で考えてもよくわかります。
　　例　この本を私に買ってください。
　　　Please buy this book　　　 for me.
　　　この本を買ってください　　私の代わりに
こう考えても、もとの日本語と意味がかわりません。

03　付加疑問文「～ですね」

文の最後で、相手に同意を求めるときに疑問文を加えます。
You don't speak English, do you?（あなたは英語を話しませんね。）
You speak English, don't you?（あなたは英語を話しますね。）

🔊 43　音読の目標　**8**　秒

① 寒いですね。
　　　　　□ 寒い　cold〔kould/ コーゥオゥドゥ〕
　　□ ですね　isn't it?〔iznt it/ イズンティッ・/ イズニッ・〕
② 寒くないですね。

③ あなたはさんぽをしますね。
　　　　　□ さんぽする　walk〔wɔːk/ ウォーク〕
　　　□ ですね　don't you?〔dountʃuː/ ドーゥンチュー〕
④ あなたはさんぽをしませんね。

⑤ 直美さんは親切ですね。
　　　　　□ 親切な　kind〔kaind/ カーィンドゥ〕

① It's cold, isn't it?

cold...
② It isn't cold, is it?

③ You walk, don't you?

④ You don't walk, do you?

⑤ Naomi is kind, isn't she?

Point

●元の文が否定文なら疑問文、否定文でないなら否定疑問文を加えます。
① 寒いですね　　　　　　（寒くないですか）。
　It's cold,　　　　　　　isn't it?
② 寒くないですね　　　　（寒いですか）。
　It isn't cold,　　　　　is it?
③ あなたはさんぽをしますね（しませんか）。
　You walk,　　　　　　don't you?
④ あなたはさんぽをしませんね（しますか）。
　You don't walk,　　　do you?
⑤ 直美さんは親切ですね　（そうではないですか）。
　Naomi is kind,　　　　isn't she?

📖 これだけ覚えよう
付加疑問文の公式　否定, 疑問
この公式を次のように考えて使いましょう。
　It's cold, isn't it?　　　　It isn't cold, is it?
　否定文ではない ⇒ 否定疑問文　否定文 ⇒ 疑問文
●付加疑問の内容に自信があるときは最後を下げていいますが、自信がないときは最後を軽く上げていいます。

発音のコツ
●〔n't〕の次に母音（ア、イ、ウ、エ、オ）がきているときはtを発音しないことがあります。
　例 isn't it〔iznt it／イズントゥイッ・〕→〔イズニッ・〕

04 否定疑問文「〜しませんか」

「〜しませんか」「〜ないのですか」と聞く文を否定疑問文といいます。
Aren't you 〜 ？，Don't you 〜 ？ のパターンを使います。

🔊 44 音読の目標 **9** 秒

① 「あなたはお腹（なか）がすいていますか。」
　「はい、すいています。」
　□ お腹がすいている　hungry　[hʌŋgri/ ハングゥリィ]

② 「あなたはお腹がすいていませんか。」
　「はい、すいていません。」

③ 「あなたは私のいうことがわかりますか。」
　「いいえ、わかりません。」
　　　　□ 私のいうことがわかる　understand me
　　　[ʌndərstænd miː/ アンダステァン・ミー]

④ 「あなたは私のいうことがわからないの
　ですか。」「はい、わかりません。」

⑤ 「あなたはいそがしくないのですか。」
　「はい、いそがしくありません。」
　　　　□ いそがしい　busy　[bizi/ ビズィ]

① "Are you hungry?"
　"Yes, I am."

② "Aren't you hungry?"
　"No, I'm not."

No
not hungry

③ "Do you understand me?"
　"No, I don't."

④ "Don't you understand me?"
　"No, I don't."

⑤ "Aren't you busy?"
　"No, I'm not."

Point

① 「あなたはお腹がすいていますか。」
　"Are you hungry?"
　「はい、すいています。」　　　　　"Yes, I am."
② 「あなたはお腹がすいていませんか。」
　"Aren't you hungry?"
　「はい、すいていません。」 日本語の感覚と逆 → "No, I'm not."
③ 「あなたは私のいうことがわかりますか。」
　"Do you understand me?"
　「いいえ、わかりません。」　　　　"No, I don't."
④ 「あなたは私のいうことがわかりませんか。」
　"Don't you understand me?"
　「はい、わかりません。」 日本語の感覚と逆 → "No, I don't."
⑤ 「あなたはいそがしくないのですか。」
　"Aren't you busy?"
　「はい、いそがしくありません。」 日本語の感覚と逆 → "No, I'm not."

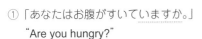

😠 ここをまちがえる！

●日本語では、「〜しませんか。」（否定疑問文）と聞くと「〜しますか。」と聞くよりていねいなように思いますが、英語ではそのようなことはほとんどありません。

●相手がどのような聞きかたをしてきても
　肯定なら Yes, I am.　Yes, I do.
　否定なら No, I'm not.　No, I don't. というこたえ方しかありません。

「あなたはいそがしくありませんか。」"Aren't you busy?" に対していそがしくないのであれば、「はい、いそがしくありません。」"No, I'm not." といいます。日本語の「はい」と実際に話す英語がちがうので注意しましょう。

52

05　回数をあらわす副詞

副詞　always（いつも）、usually（普通は）、often（しばしば）、sometimes（ときどき）、never（決して〜ない）などで、回数をあらわします。

🔊 **45**　音読の目標　**8** 秒

① 私はいつも英語を勉強します。
　　　□ いつも　always 〔ɔ́ːlweiz/ オーオウェーィズ〕

② 私は普通は英語を勉強します。
　　　□ 普通は　usually 〔júːʒuəli/ ユージュアリィ〕

③ 私はしばしば英語を勉強します。
　　　□ しばしば　often 〔ɔ́ːfn/ オーフン〕

④ 私はときどき英語を勉強します。
　　　□ ときどき　sometimes 〔sʌ́mtaimz/ サムターィムズ〕

⑤ 私は決して英語を勉強しません。
　　　□ 決して〜ない　never 〔névər/ ネヴァ〕

① I always study English.

② I usually study English.

③ I often study English.

④ I sometimes study English.

⑤ I never study English.

study English

Point

●回数をあらわす副詞は、not を入れる位置におくと覚えておきましょう。

　（例）I study English.（私は英語を勉強します。）
この英文のどこに "not" が入るかを考えてみましょう。

　　（1）I study（私は勉強します）
　　（2）I English（私は英語）
どちらの意味がよくわかりますか。（1）の方がよくわかりますね。このことから "study" の前に "not" を入れればよいことがわかります。

→ I always study English.
　（私はいつも英語を勉強します。）

　（例）I am busy.（私はいそがしい。）
　　（1）I am（私です）
　　（2）I busy（私はいそがしい）
（2）の方が意味がよくわかるので、"busy" の前に "not" が入ります。

このことから、busy の前に回数をあらわす単語をおけばよいことがわかります。

→ I am always busy.（私はいつもいそがしい。）

ここが大切

●回数のめやすは大体次のように考えておけばよいでしょう。

　study（勉強する）のが1週間のうちに、

　　　7日間→ always
　　　6日間→ usually
　　　4日間→ often
　　　2日間→ sometimes
　　　1日もしない→ never

第1週　英文法きほんのきほん

第2週　中学で習ういろいろな文

第3週　覚えておきたい英語のルール

01 「もし～ならば」をあらわす if

接続詞の if を使って、実際には起こっていないことも
「もし～ならば」と仮定(かてい)して考える文をつくることができます。

🔊 46　音読の目標　11　秒

① もしあなたがしあわせならば、私も
しあわせですよ。
　　　　□ しあわせな　happy　[hǽpi/ ハァピィ]
　　　　　□ ～も　too　[tuː/ チューー]

② 私もしあわせですよ、もしあなたが
しあわせなら。

③ もしあす雨が降れば、私は家にいますよ。
（If からはじめる）
　　□ 雨が降る　it rains　[it reinz/ イッ・ウレーインズ]

④ もしあす雨が降れば、私は家にいますよ。
（I からはじめる）

⑤ もし（あなたが）一生懸命(いっしょうけんめい)勉強すれば、あ
なたはそのテストに受かりますよ。
　　　　□ 一生懸命に　hard　[hɑːrd/ ハードゥ]
　　　　　□ ～に受かる　pass　[pǽs/ ペァス]

① If you're 〔are〕 happy, I'm 〔am〕
happy, too.

② I'm 〔am〕 happy, too if you're 〔are〕
happy.

③ If it rains tomorrow, I'll 〔will〕 stay
home.

④ I'll 〔will〕 stay home if it rains
tomorrow.

⑤ If you study hard, you'll 〔will〕 pass
the test.

Point

● if の使い方には2種類あります。
（1）「If ＋主語＋動詞～, 主語＋動詞～ .」
（2）「主語＋動詞～ if 主語＋動詞～ .」
　㋹（1）もしあなたがしあわせならば、私もしあ
　　　わせですよ。
　　　If you're 〔are〕 happy, I'm happy, too.
　㋹（2）私もしあわせですよ。もしあなたがしあ
　　　わせなら。
　　　I'm happy, too if you're 〔are〕 happy.
（1）と（2）の順序による意味のちがいはありません。

● If からはじまるときは、次の主語の前に " , "（コ
ンマ）が必要です。
　if が途中(とちゅう)に来ているときは、" , " を入れる必要は
ありません。

👉ここが大切
● If からはじまっている英文を副詞節といいます。
おまけ（つけくわえ）のはたらきをしている英文です。
この if からはじまっているところには、will を使うこ
とができません。If からはじまっている英文を手で隠(かく)
しても、残りの英文だけで意味がわかります。つまり、
if からはじまっている部分は、おまけ（追加）なんで
すね。
このようなときは、未来のことをあらわしていても、
will を使うことができないのです。
［×］If it will rain tomorrow, I will stay home.
［○］If it rains tomorrow, I will stay home.

02 「なぜならば」「〜なので」「〜だから」の
because

Why「なぜ」という疑問に対して、Because「なぜならば」と答えるときと、「〜なので」、「〜だから」の意味で because を使う場合があります。

🔊 **47** 音読の目標 **11** 秒

① 「なぜあなたは英語を勉強しているのですか。」（②とセット）□ なぜ　why 〔wai/ ワーィ〕

② 「なぜならば、私はアメリカへ行きたいからです。」
□ なぜならば　because 〔bikɔːz/ ビコーズ〕
□ 〜したい　want to 〔wɑnt tə/ ワン・トゥ〕
□ アメリカへ行く　go to America
〔gou tə əmerikə/ ゴーッ　トゥ　アメゥリカ〕

③ あなたはとても背が高いので、私はあなたが好きです。（Because からはじめる）
□ とても背が高い　very tall 〔veri tɔːl/ ヴェゥリィ　トーオ〕

④ 私はあなたがとても背が高いので、あなたを好きです。（I からはじめる）

⑤ 私はあなたが好きです。なぜならば、あなたがとても背が高いからです。

① "Why do you study English?"

② "Because I want to go to America."

③ Because you're 〔are〕 very tall, I like you.

④ I like you because you're 〔are〕 very tall.

⑤ I like you, because you're 〔are〕 very tall.

Point

● because を使って、おまけで理由を説明することができます。
① なぜあなたは英語を勉強しているのですか。
　Why ＋ do you study English?
② なぜならば、私はアメリカに行きたいからです。
　Because　I want to go to America.
③ あなたはとても背が高いので、私はあなたが好きです。
　Because you're 〔are〕 very tall,　I like you.
④ 私はあなたがとても背が高いので、
　　　　　　　　　あなたを好きです。
　I like you　because you're 〔are〕 very tall.
⑤ 私はあなたが好きです。
　　　　　　なぜならば、あなたがとても背が高いからです。
　I like you,　because you're 〔are〕 very tall.

（☞ここが大切）
● Why（なぜ）と聞かれたら、その理由を because（なぜならば）を使って答えます。
● because は文の最初にくるときと、途中にくるときがあります。
文の途中にきていて、"," （コンマ）がないときは「〜なので」と訳し、"," があるときは「なぜならば〜だから」と訳します。

（🗣発音のコツ）
● 文の最初にくる Because は強く発音します。
そして、"," （コンマ）の前で最後に軽く上げてから次の英文をよみます。

03 「～してから」「したあとに」の after

「after ＋主語＋動詞」で、「主語が～してから〔～したあとに〕」とおまけの情報をつたえます。

🔊 **48** 音読の目標 **18** 秒

① 私はそこへ着いてから、（私は）あなたに電話をしますよ。

② 私はその電車が出てから、大阪駅に着きました。□ 駅 station〔steiʃən/ステーィシュン゜〕
　　　　　　　　□ 電車 train〔trein/チュレーィン゜〕
　　　　　　　　□ 出発した left〔left/レフトゥ〕

③ 私はその電車が出てしまってから、大阪駅に着きました。

④ 私の仕事をおわらせてから、私は外出します。
　　　　　　□ ～をおわらせる finish〔finiʃ/フィニッシ〕
　　　　　　□ 仕事 work〔wəːrk/ワーク〕

⑤ 私の仕事をおわらせてしまってから、私は外出します。
　　　　　□ ～をおわらせた finished〔finiʃt/フィニッシトゥ〕

① I'll〔will〕call you after I get there.

② I got to Osaka Station after the train left.

③ I got to Osaka Station after the train had left.

④ I'll〔will〕go out after I finish my work.

⑤ I'll〔will〕go out after I have finished my work.

Point

● 「after ＋主語＋動詞」で、おまけで前後の関係を教えます。

① 私はあなたに電話をしますよ ＋ 私はそこに着いてから
　I'll〔will〕call you　　after I get there.

② 私は大阪駅に着きました ＋ その電車が出てから
　I got to Osaka Station　after the train left.

③ 私は大阪駅に着きました ＋ その電車が出てしまってから
　I got to Osaka Station　after the train had left.

④ 私は外出します ＋ 私は私の仕事をおわらせてから
　I'll〔will〕go out　after I finish my work.

⑤ 私は外出します ＋ 私は私の仕事をおわらせてしまってから
　I'll〔will〕go out　after I have finished my work.

will have ＋過去分詞形のかわりに have ＋過去分詞形

未来のことでも will ＋動詞のかわりに動詞の現在形を使う

‼️ ここをまちがえる！

get to Osaka Station = get there

"get to" の "to" が前置詞で "Osaka Station" が名詞です。

前置詞＋名詞＝副詞と覚えておいてください。

副詞には to を使う必要がありません。

● 1つの英文の中に、新しい過去と、古い過去がきているとき、古い過去は had ＋過去分詞形を使ってあらわすのが基本です。

ただし、最近ではどちらが古い過去であるかがはっきりしているときには、どちらも過去形を使うことがよくあります。

未来のことをあらわしているときも、「～してから」（時）や「もし～ならば」（条件）を表す副詞節の中では、現在形 または have ＋過去分詞形（～してしまってからならば）、have ＋過去分詞形を使います。

04 「～する前に」「～しないうちに」の before

「before ＋主語＋動詞」で、「主語が～する前に」「主語が～しないうちに」とおまけの情報をつたえます。

🔊 **49** 音読の目標 **13** 秒

① 私は寝る前に、(私は) 軽い運動をします。
　□ 軽い運動をする　do some exercise
〔du: səm eksərsaiz/ ドゥー　スム　エクサァサーィズ〕

② 私は軽い運動をします。私は寝る前にね。

③ 寝る前に、私は軽い運動をします。

④ 私は軽い運動をします。寝る前にね。

⑤ それが冷める前に (それを) 食べなさいよ。
　□ 冷める〔冷たくなる〕　it gets cold
〔it gets kould/ イッ・ゲッツ　コーゥオ ドゥ〕

① Before I go to bed, I do some exercise.

② I do some exercise before I go to bed.

③ Before going to bed, I do some exercise.

④ I do some exercise before going to bed.

⑤ Eat it before it gets cold.

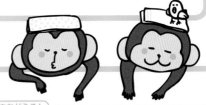

Point

● 「before ＋主語＋動詞」は「before ＋～ ing」でいいかえられます。

① 私は寝る前に　　　　　私は軽い運動をします
　Before I go to bed,　　I do some exercise.

② 私は軽い運動をします ＋寝る前にね
　I do some exercise　　before I go to bed.

③ 寝る前に　　　　　　　私は軽い運動をします
　Before going to bed,　I do some exercise.

④ 私は軽い運動をします ＋寝る前にね
　I do some exercise　　before going to bed.

⑤ それを食べなさい＋それが冷める〔冷たくなる〕前に
　Eat it　　　　　　　　before it gets cold.

🆖 **ここをまちがえる！**

Eat it　　　　　　　before it gets cold.
それを食べなさい＋ それが冷たくなる前に
　　　　　　　　　　おまけのはたらきの副詞節

未来のことをあらわしていても副詞節では will を使うことができないので、“it gets cold”（それが冷たい状態になる）とします。

🐵 **発音のコツ**

● do some exercise は do と exercise を強くいいます。some は、〔səm ／スム〕のように弱くいいます。もし〔sʌm ／サム〕のように強く発音すると、「かなりの、相当の」という意味になり、意味がまったく変わるのです。

05 A and B で「A と B」、A or B で「A または B」

and は、単語と単語、語句と語句、文と文を同列に結ぶときに使います。
or は、A または B のようにどちらかを選択するときに使います。

🔊 **50** 音読の目標 **11** 秒

① 私と直美さんは友だちです。
〔直美さんと私は友だちです。〕
□ と私　and I 〔ənd ai/ アンダーイ〕
□ 友だち　friends 〔frendz/ フゥレンヅ〕

② 私は勉強しました。そして、寝ました。

③ 私は大阪へ行きました。そして、それから京都へ行きました。
□ そしてそれから　and then 〔ənd ðen/ アン・ゼンヌ〕

④ あなたは紅茶とコーヒーとどちらがよろしいですか。
□ いかがですか　Would you like ~?
〔wudʒu: laik/ ウッデュー　ラーイク〕

⑤ あなたは紅茶かコーヒー（それとも他のもの）でも飲みますか。

① Naomi and I are friends.
② I studied and I went to bed!
③ I went to Osaka and then I went to Kyoto.
④ Would you like tea（↗）or coffee（↘）？
⑤ Would you like tea（↗）or coffee（↗）？

Point

● and と or は、単語と単語、文と文など同じ構成のものを結びます。

①直美さんと私は友だちです。
Naomi and I are friends.

〔「私と直美さんは」でも "Naomi and I" にするのが英語のやり方です〕

②私は勉強しました。　そして、私は寝ました。
I studied　　　　　and I went to bed.

③私は大阪へ行きました。そして、それから私は京都へ行きました。
I went to Osaka　　　and then I went to Kyoto.

④あなたは紅茶とコーヒーとどちらがよろしいですか。
Would you like tea（↗）or coffee（↘）？

⑤あなたは紅茶かコーヒー（それとも他のもの）でも飲みますか。
Would you like tea（↗）or coffee（↗）？

〔同じ英語だけど文の最後を上げるか下げるかで意味が変わる〕

💬 **ここをまちがえる！**

どちらもできる？　どれもできない？
（a）私は歌っておどれます。
I can sing　　and　　dance.
私は歌える　　そして　　おどれる

（b）私は歌えないし、おどれません。
I can't　　　sing or dance.
私はできません　歌うこともおどることも

🔊 **発音のコツ**

④ Would you like tea（↗）or〔オーア〕coffee（↘）？
⑤ Would you like tea（↗）or〔オア〕coffee（↗）？
④のときは、選択の意味が強いので、or も強く発音します。
⑤のときは、選択の意味が弱いので、or も弱く発音します。

01 基本の動詞をまとめておさえよう
① go と come

相手やある場所に近づいて行くとき、向こうからやってくるときは、come で「行く」。
相手ではないところへ行くとき、ある場所または相手から遠ざかって行くときは、go で「行く」をあらわします。

🔊 51　音読の目標　**8**　秒

① 「入ってもかまいませんか。」
（相手が部屋にいるとき）　□ ～してもかまいませんか
　　　　　　　　　　　May I ~?　〔mei ai/ メーイ アーイ〕

② 「どうぞ、お入りください。」
（相手が部屋にいるとき）

③ 「入ってもかまいませんか。」
（だれもいない部屋に入ってよいのかを相手に聞いているとき）

④ 「まず私は、かおるさんの家に行きます、
（④と⑤は1つの英文です）
　　　　　　　□ まず　first　〔fə:rst/ ファ～ストゥ〕
　　　　　　　□ 家　place　〔pleis/ プレーイス〕

⑤ そして、それから私はあなたに会いに行きます。」
　　　　□ そしてそれから　and then　〔ənd ðen/ アン・ゼンヌ〕
　　　　□ あなたに会うために　to see you
　　　　　　　　　　〔tə si: ju:/ トゥ スィー ユー〕

① "May I come in?"

② "Please come in."

③ "May I go in?"

④ "First I'll go to Kaoru's place,

⑤ and then I'll come to see you."

Point

●相手に近づいて行くときは come、相手から離れて行くときは go

① 「中に入って行ってもかまいませんか。」
（相手が部屋にいるとき）
　"May I come in?"

② 「どうぞお入りください。」（相手が部屋にいるとき）
　"Please come in."

③ 「入ってもかまいませんか。」
　"May I go in?"
（だれもいない部屋の外にいて、その部屋に入ってもよいのかを相手に聞いている）

④ まず私は行きます 〈どこへ?〉 かおるさんの家
　First I'll go　　　　　to　Kaoru's place,

⑤ そしてそれから私は行きます
　and then I'll come
　　　　〈何をするために?〉 あなたに会いに
　　　　　　　　　to see you.

（ここが大切）
●相手に近づいて行くときと相手が近づいて来るときは come であらわします。
日本語では「行く」と「来る」は逆方向のようですが、①と②は両方とも come。in は、中に入って行くという意味をあらわしています。

③ だれもいない部屋の外にいて、「入ってもかまいませんか。」と相手に聞きたいので、"go in" になります。
④ あなたとちがう人のところへ行くといっているので、go
⑤ あなたのところへ行くといっているので、come

あなたと相手の間をもって行ったり、もって来たりするときは、bring。
あなたが相手以外のところへ物をもって行くときは、take。
come と bring、go と take は同じ考え方です。

🔊 52 　音読の目標 **13** 秒

① 「あの机をここへもって来て。」
　「いいですよ、行きますよ。」
　　　□ 〜を連れて来る〔行く〕 bring 〔briŋ/ ブゥリン・〕
　　　　　　　□ いいですよ OK 〔oukei/ オーウケーイ〕

② 「そのイヌをあっちへ連れて行って。」
　「いいですよ。行きますよ。」
　　　　　□ 〜を連れて行く take 〔teik/ テーイク〕

③ このお茶を直美さんにもって行ってよ。

④ お茶を 1 杯私にもって来てよ。
　　　　　　　□ 1 杯のお茶 a cup of tea
　　　　　　〔ə kʌpəv tiː/ ア カップァヴ ティー〕

⑤ このバスがあなたを東京駅まで連れて
　行ってくれますよ。

① "Bring that desk here."
　"OK. I'm 〔am〕 coming."

② "Take that dog away."
　"OK. We're 〔are〕 going."

③ Take Naomi this tea.

④ Bring me
　a cup of tea.

⑤ This bus takes you to Tokyo
　Station.

Point

● 相手に近づいてもって行くときは bring、離れてもっていくときは take

	〈何を?〉	〈どこに?〉
① もって来て	あの机	ここに
Bring	that desk	here.

	〈何を?〉	〈どこへ?〉
② 連れて行って	その〔あの〕イヌ	あっちへ〔離れたところへ〕
Take	that dog	away.

	〈どこに?〉	〈何を?〉
③ もって行く	直美さんのところに	このお茶
Take	Naomi	this tea.

	〈どこに?〉	〈何を?〉
④ もって来てよ	私のところに	1 杯のお茶
Bring	me	a cup of tea.

	〈だれを?〉	〈どこに?〉
⑤ このバスが連れて行きますよ	あなたを	東京駅
This bus takes	you	to Tokyo Station.

👉 ここが大切

自分を中心に、方向を考えよう

①は話し手のところへ「もって来て」なので、bring。

②は話し手のところから他の場所へ「連れて行って」なので、take。

③はあなたではない他の人のところへ「もって行く」ので、take。

④は、あなたが私のところにお茶を「もって来る」ので、bring。

⑤このバスがあなたをあなたのいるところではないところへ「連れて行く」ので、take。

● bring と come、take と go は同じ考え方で使うことができます。

同じ「行きますよ。」でも、bring のときは「話し手に近づいて行く」ので "I'm coming."。②のように take のときは「話し手から離れて行く」ので "We're going." となります（We は「イヌと私」の意味です）。

03 基本の動詞をまとめておさえよう ③ give と get

あげる（give）人がいると、
片方にもらう（get）人がいるので、セットで覚えましょう。

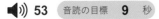

🔊 **53** 　音読の目標　**9**　秒

① 「だれがあなたにそのかぜを
　うつしたの。」
　　　　　□ ～を与えた　gave　〔geiv／ ゲーィヴ〕
　　　　　□ かぜ　cold　〔kould／ コーゥオ ドゥ〕

② 「私の父がそれを私にうつした。」
　　　　　□ 父　father　〔fɑːðər／ ファーざァ〕

③ 「私は私の父からそれをうつされた。」
　　　　　□ ～を得た　got　〔gɑt／ ガッ・〕

④ 「あなたのかぜを私にうつさないで。」
　　　　　□ ～に　to　〔tə／ トゥ〕

⑤ 「私はあなたから私のかぜを
　うつされた。」
　　　　　□ ～から　from　〔frəm／ フゥロム〕

① "Who gave you that cold?"

② "My father
gave it to me."

③ "I got it from my father."

④ "Don't give your cold to me."

⑤ "I got my cold from you."

Point

● get と give を from と to といっしょに使うと同じ意味をあらわせます。

	〈だれに？〉	〈何を？〉
① だれがあげた	あなたに	そのかぜ
Who gave	you	that cold?
	〈何を？〉	〈だれに？〉
② 私の父が与えた	それ	私
My father gave	it	to me.
	〈何を？〉	〈だれから？〉
③ 私はもらった	それ	私の父
I got	it	from my father.
	〈何を？〉	〈だれに？〉
④ あげないで	あなたのかぜ	私
Don't give	your cold	to me.
	〈何を？〉	〈だれから？〉
⑤ 私はもらった	私のかぜ	あなた
I got	my cold	from you.

👉 **ここが大切**

「give ＋人＋物」は「give ＋物＋ to ＋人」

📝 私の父は私にこの本をくれた。
My father gave me this book. 〔give ＋人＋物〕
My father gave this book to me.
〔give ＋物＋ to ＋人〕

📝 私は私の父からこの本をもらった。
I got this book from my father.

☝ **ここをまちがえる！**

⑤ I got my cold from you.
「あなたからうつされたかぜ」は「あなたのかぜ」といいたいところですが、かぜをひいているのは「私」なので「私のかぜ」になります。

04

基本の動詞をまとめておさえよう
④ see, look at, watch

「見る」をあらわす動詞もいろいろあります。
自然に目にはいるという意味は see、強調したいときは can see、「意識的に見る」は look at、「動く物を見る〔観察する〕」は watch。

🔊 54　音読の目標　**11**　秒

① 私は空を見上げました。
　　　　　□ ～を見上げた　looked up at
　　　　　〔luktʌpət/ ルックタッパッ〕

② 私にはたくさんの星が見えました。
　　　　　□ ～を見た　saw　〔sɔː/ ソー〕
　　　　　□ 星　stars　〔stɑːrz/ スターズ〕

③ 私はそのテニスの試合をテレビで
　　見ました。

④ 私は見まわしたが、何も見えなかった。
　　　　　□ 見まわした　looked around
　　　　　〔luktəraund/ ルックタッラーゥンドゥ〕

⑤ 私の父はある映画を見に出かけました。

① I looked up at the sky.

② I saw a lot of stars.

③ I watched the tennis match on television.

④ I looked around but (I) saw nothing.

⑤ My father went out to see a movie.

Point

① 私は見上げました 〈何を?〉空
　I looked up at　　　　　　the sky.
② 私には見えました 〈何が?〉たくさんの星
　I saw　　　　　　　　　a lot of stars.
③ 私は見ました 〈何を?〉そのテニスの試合 〈何で?〉テレビで
　I watched　　the tennis match　on television.
④ 私は見まわした。しかし、何も見えなかった。
　I looked around　but (I) saw nothing.
⑤ 私の父は出かけた 〈何のために?〉ある映画を見る
　My father went out　to　see a movie.

🐵 発音のコツ

● tennis match 〔tenis mætʃ／テニス　メァッチ〕
何の試合かが大切なので、tennis を強くいいます。

● on television 〔ɑn televiʒən ／アン　テレヴィジュンヌ〕
前置詞＋名詞になっているときは、名詞を強くいいます。

● went out to see〔went aut tə siː／ウェンターゥ・トゥスィー〕
t と a をくっつけて〔タ〕とよみます。
t が2つ重なっているので、1つめの t の音を飲み込むようにして発音します。

📖 これだけ覚えよう

saw nothing 〔ソー　ナッスィン・〕何も見えなかった

05 基本の動詞をまとめておさえよう
⑤ hear と listen to

自然に耳にはいってくるときは hear、
注意して聞くときは listen to であらわします。

🔊 55　音読の目標　**6** 秒

① 耳をすまして聞いてごらん。
　　　　　　□ 聞く　listen　〔lísn/ リッスン〕

② あなたは私のいうことが聞こえますか。
〔can を使って〕　□ 〜が聞こえる　hear　〔híər/ ヒアァ〕

③ 私のいうことを聞いて。
　　　　□ 〜を聞く　listen to　〔lísn tə/ リッスン　トゥ〕

④ 私のいったことが聞こえたでしょう。
〔さっさとやりなさい。〕
　　　　　　□ 〜が聞こえた　heard　〔hə́ːrd/ ハァ〜ドゥ〕

⑤ 私は聞こえていますが、聞いていません。

① Listen!

② Can you hear me?

③ Listen to me.

④ You heard me.

⑤ I'm〔am〕hearing but not listening.

Point

① 耳をすまして聞いてごらん。
　Listen！
② あなたは聞くことができますか〈何を?〉私のいうこと
　Can you hear　　　　　　　me?
③ 注意して聞いて　　　〈何を?〉私のいうこと
　Listen to　　　　　　　　　me.
④ あなたは聞こえたでしょ〈何を?〉私のいったこと
　You heard　　　　　　　　me.
⑤ 私は聞こえています。　しかし、聞いていません。
　I'm〔am〕hearing　　but not listening.

👉 ここが大切
●ここでの me は、「私のいうこと」という意味で使ってあります。
次のような例があります。
　例 Do you understand me?
　　（あなたは私のいうことがわかりますか。）
　例 I believe you.
　　（私はあなたのいうことを信じます。）

👉 発音のコツ
hear 〔híər／ヒアァ〕　heard 〔hə́ːrd／ハァ〜ドゥ〕
発音記号の〔əːr〕は、ア、イ、ウ、エ、オのウの口で〔ア〜〕といえばこの音が出ます。

第1週 英文法きほんのきほん

第2週 中学で習ういろいろな文

第3週 覚えておきたい英語のルール

「つくる」だけじゃない make

make ＋名詞で、（友だちなど）をつくる、（お金など）をもうける、（お茶など）を用意する、（いろいろな行為（こうい））を行（おこな）う、などがあります。

🔊 56 　音読の目標 **10** 秒

① 友だちになろうよ。
　　　　□ ～をつくる　make 〔meik／メーィク〕

② 池上さんはお金もうけがじょうず
　　ですよ。
　　　　　　□ ～がじょうずです　is good at
　　　　　　〔iz gud ət／イ ズ グッ ダッ ト〕
　　　　　　□ お金　money　〔mʌni／マーニー〕

③ 私に少しお茶を入れてください。

④ 君はまちがいが多すぎるよ。

⑤ 私はあす東京へ（仕事で）旅行に行きます。

① Let's make friends.

② Mr. Ikegami is good at making money.

③ Please make me some tea.

④ You make too many mistakes.

⑤ I'll 〔will〕 make a trip to Tokyo tomorrow.

Point

● make は「つくる」だけでないさまざまな意味があります。
① しましょう 〈何をする?〉 友だちになる
　Let's 　　　　　　　　make friends.
② 池上さんはじょうずですよ
　　　　　　〈何が?〉 お金をもうけること
　Mr. Ikegami is good at making money.
③ 私に入れて 〈何を?〉 少しのお茶
　Please make me 　　　 some tea.
④ 君はするよ 〈何を?〉 あまりにも多くのまちがい
　You make 　　　　　 too many mistakes.
⑤ 私は（仕事で）旅行に行きます
　　　　　　〈どこへ?〉 東京 　〈いつ?〉 あす
　I'll 〔will〕 make a trip to Tokyo 　　　 tomorrow.

💢 ここをまちがえる！
● ①友だちになるには最低２人の人がいるので、friend に s をつけて使います。
"Let's make friends again." のようにふたたびという単語の "again"〔əgen／アゲン〕をつけると、「仲直りしましょう。」という意味になります。

📖 これだけ覚えよう
仕事の旅？遊びの旅？
make a trip 〔meikə trip／メーィカ　チュリップ〕
→（仕事で）旅行に行く
take a trip 〔teikə trip／テーィカ　チュリップ〕
→（観光などで）旅行に行く

02 「つかむ」だけじゃない take

take は、① 手にとるという意味の「つかむ」 ② 携帯するという意味の「もって行く」 ③ （写真）をとる ④ （薬）を飲む ⑤ （ある行動）をとる などの意味をあらわします。

 57　音読の目標 **10** 秒

① 私の母は私の手を取った。
　　　　　　□ ～を取った　took〔tuk/トゥック〕

② このかさをもって行きなさいよ。
　　　　　　□ かさ　umbrella〔ʌmbrelə/アンブゥレラ〕

③ 私は写真をとるのが好きです。

④ 私はビタミンCの錠剤を2錠飲みます。
　　　　　　□ 2錠の　two tablets of
〔tu: tæblits əv/チューテァブレッツァヴ〕
　　　　　　□ ビタミンC　vitamin C
〔vaitəmin si:/ヴァイタミン　スィー〕

⑤ 私は毎朝シャワーを浴びます。

① My mother took my hand.

② Take this umbrella with you.

③ I like taking pictures.

④ I take two tablets of vitamin C.

⑤ I take a shower every morning.

Point

	〈何を?〉
① 私の母は取った	私の手
My mother took	my hand.

	〈何を?〉	〈だれといっしょに?〉
② もって行きなさい	このかさ	あなた
Take	this umbrella	with you.

	〈何が?〉	〈何を?〉
③ 私は好きです	とること	写真
I like	taking	pictures.

	〈何を?〉
④ 私は飲みます	2錠のビタミンC
I take	two tablets of vitamin C.

	〈何を?〉	〈いつ?〉
⑤ 私は浴びます	シャワー	毎朝
I take	a shower	every morning.

ここが大切

● ①私の母は私の手を取った。
= My mother took me by the hand.
英語では、「私」を大きく映しておいて、次に手に焦点を当てるという考え方がよくあります。

● ② Take this umbrella with you.
「あなたの身につけて」という意味で "with you" をつけることもよくあります。

● ③私は写真をとることが好きです。
= I like to take pictures.
"I like ~ ing." = "I like to ~ ." で同じ意味をあらわすことができます。

03 「もっている」だけじゃない have

have には、①（友人や身内など）がいる　②（ペットなど）を飼っている　③（考えなど）を心にもっている
④ 〜を食べる、〜を飲む　⑤（病気に）かかっている　などの意味があります。

🔊 58 　音読の目標　**7**　秒

① 直美さんには兄弟が 2 人います。
　　　□ 兄弟　brothers　〔brʌðərz/ブラウザァズ〕

② 直美さんはイヌを 1 ぴき飼って
　いました。
　　　　　　　□ イヌ　dog　〔dɔːg/ドーッグ〕

③ 私にはよい考えがあります。
　　　□ 1 つのよい考えがある　have a good idea
　　　〔hævə gudaidiə/ヘァヴァ　グッダーイディア〕

④ 私は 8 時に朝食をとります。
　　　□ 朝食　breakfast　〔brekfəst/ブゥレックフテストゥ〕

⑤ トニー君はかぜをひいています。

① Naomi has
   two brothers.

brother1　Naomi　brother2

② Naomi had a dog.

③ I have a good idea.

④ I have breakfast at eight.

⑤ Tony has a cold.

Point

● have は「もっている」などの状態をあらわします。
① 直美さんにはいる　　　〈何が?〉 2 人の兄弟
　Naomi has　　　　　　　　　two brothers.
② 直美さんは飼っていました 〈何を?〉 1 ぴきのイヌ
　Naomi had　　　　　　　　　a dog.
③ 私には心にもっているものがあります
　　　　　　　　　　　〈何を?〉 1 つのよい考え
　I have　　　　　　　　　　a good idea.
④ 私はとります〈何を?〉朝食〈何時に?〉8 時
　I have　　　　　breakfast　at eight.
⑤ トニー君はかかっている　〈何に?〉 かぜ
　Tony has　　　　　　　　　a cold.

〔!!! ここをまちがえる!〕

2 人兄弟？ 3 人兄弟？
　例 I have two brothers.
「私以外に 2 人の兄弟がいる」という意味です。
日本語で「私は 3 人兄弟です」というのも同じことです。

〔これだけ覚えよう〕

「かぜをひく」の 2 つのいい方
〔状態〕Tony has a cold.（かぜをひいている）

〔動作〕Tony often catches a cold〔colds〕.
　　　（よくかぜをひく）

〔ここが大切〕

have は、よく「もつ」と覚えがちですが、「（今）つかむ」
ような動作ではなくて「もっている」状態だと考える
と、さまざまな意味がわかってくると思います。

66

04 「手に入れる」だけじゃない get

get は、① ～を手に入れる、～を得る　②（物）を買う　③ ～を受け取る　④ ～がわかる、～を理解する
⑤ ～を取ってくる　などの意味があります。

🔊 59　音読の目標　**9**　秒

① 私はそのコンサートの１枚のチケットを手に入れました。
　　□ チケット・切符　ticket 〔tíkit/ティケッ・〕
　　□ ～のための、～行きの　for 〔fər/フォァ〕

② 私は東京行きの１枚の切符を買いました。

③ 私は運転免許を取った。
　　□ 運転免許　driver's license
　〔dráivərz láisns/ヂュラーィヴァズ　ラーィスンス〕

④ あなたはそれをわかりましたか。

⑤ 私に私のかさをもってきてよ。

① I got a ticket for the concert.

② I got a ticket for Tokyo.

③ I got a driver's license.

④ Did you get it?

⑤ Get me my umbrella.

Point

<何を?>　　<何のための?>
① 私は手に入れた　１枚のチケット　そのコンサート
　I got　　　　　a ticket　for the concert.
② 私は買いました <何を?>１枚の切符 <どこ行きの?> 東京行きの
　I got　　　　　a ticket　　　　for Tokyo.
③ 私は受け取った <何を?> 運転免許
　I got　　　a driver's license.
④ あなたはわかりましたか　　<何を?> それを
　Did you get　　　　　　　　it?
⑤ もってきてよ <だれに?> 私に <何を?> 私のかさ
　Get　　　　　me　　my umbrella.

👉 ここが大切
get＋人＋物でも、意味はいろいろ

get ＋人＋物（人に物を手に入れてあげる〔くれる〕）
　例 Get me my missing umbrella.
　　（〔どこにあるかわからない〕私のかさを私に見つけて。）
get ＋人＋物（人に物を買ってあげる〔くれる〕）
　例 Get me a new umbrella.
　　（新しいかさを私に買って。）
get ＋人＋物（人に物を取ってあげる〔くれる〕）
　例 Get me my umbrella.
　　（私のかさを取って。）
「get ＋物＋ for ＋人」でも同じ意味をあらわすことができます。

05 「行く」だけじゃない go

go は、① go to ＋地名　② 本来の目的をあらわす　go to ＋ a や the のつかない名詞　③「～をしに行く」を
あらわす go ～ ing　④ 去る、出発する　⑤ 至る　などの意味があります。

🔊 **60**　音読の目標　**8**　秒

① 篠山城へ行きましょう。
　　　　　　　　□ 行く　go　〔gou/ ゴーゥ〕
　　　　　　　　□ 城　castle　〔kǽsl/ キャッソー〕

① Let's go to Sasayama Castle.

go to School

② 学校へ行きましょう。

② Let's go to school.

③ 原宿へ買い物に行きましょう。
　　　　□「買い物をする」の ing 形　shopping
　〔ʃɑpiŋ/ シャッピン・ / ʃɔpiŋ/ ショッピン・〕

③ Let's go shopping in Harajuku.

④ 私はもう帰らなければならないのです。

④ I have to go now.

⑤ この道を行くと篠山城に出ますよ。
goes　〔gouz/ ゴーゥッズ〕□ 道　road　〔roud/ ゥロードゥ〕

⑤ This road goes to Sasayama Castle.

Point

① しましょう〈何をする?〉行く　　　　〈どこへ?〉篠山城
　Let's　　　　　　　　　go　to Sasayama Castle.
② しましょう〈何をする?〉行く　　　　　　〈どこへ?〉学校
　Let's　　　　　　　　　go　　　　　　to school.
③ しましょう〈何をする?〉行く〈何をしに?〉買い物〈どこで?〉原宿
　Let's　　　　　　　go　shopping　in Harajuku.
④ 私はしなければならない〈何をする?〉帰る　〈いつ?〉今
　I have to　　　　　　　　　　　go　　　now.
⑤ この道は至る　　　　　　　　　〈どこへ?〉篠山城
　This road goes　　　　　　　　to Sasayama Castle.

👉 **ここが大切**
● "go to" で a や the が名詞の前につかないときは、
「本来の目的のために～へ行く」をあらわします。
　例 go to school（勉強するために学校へ行く）
　例 go to bed（寝る）
　例 go to church（礼拝するために教会へ行く）

✊‼ **ここをまちがえる!**
そのプールへ泳ぎに行きましょう。
〔×〕Let's go swimming to the pool.
〔○〕Let's go swimming in the pool.
　↑〔参考〕Let's swim in the pool.
　　　　（そのプールで泳ぎましょう。）

「そのプールで
泳ぐために
行きましょう。」
と考える

01 動詞の ing 形①〜している

動詞の ing 形は、動詞ではなく、形容詞のはたらきをする単語です。主語の次に動詞がなくなるので、いつのことかをあらわす be 動詞が必要になります。

🔊 **61**　音読の目標　**7**　秒

① 「あなたは何をしているの？」〔携帯電話で〕
　　□ している　doing　〔duːiŋ/ ドゥーイン・〕

② 「勉強しているんだよ。」〔携帯電話で〕
　　□ 勉強している　studying　〔stʌdiiŋ/ スタディイン・〕

③ 「あなたはそのとき何をしていたの？」
　　□ そのとき　then　〔ðen/ ゼン〕

④ 「私はテレビを見ていたんだよ。」

⑤ 「見て！　雨が降っているよ。」
　　□ 雨が降っている　raining　〔reiniŋ/ ゥレーィニン・〕

① "What are you doing?"

② "I'm studying."

③ "What were you doing then?"

④ "I was watching TV."

⑤ "Look! It's raining."

watch

TV

Point

① 〈何を＋〉あなたはしているの？
　　What　are you doing?
② 私は勉強しています。
　　I'm studying.
③ 〈何を＋〉あなたはしていたの　そのとき？
　　What　were you doing　then?
④ 私は見ていたんだよ　〈何を＋?〉テレビ
　　I was watching　TV.
⑤ 見て！雨が降っているよ。
　　Look!　It's raining.

👉ここが大切

● Yes. No. でこたえられない疑問文は、日本文の中にある一番たずねたいことばをまずおいてから、疑問文をおくようにしましょう。
　　例 あなたは何をしていますか。
　　　　何を＋あなたはしていますか。
　　　　What　are you doing?
● be 動詞は、I と You 以外は、1人ならば is、2人以上ならば are を使います。

	現在	過去	
I	am	was	＋〜 ing
You	are	were	＋〜 ing
1人	is	was	＋〜 ing
2人以上	are	were	＋〜 ing

02 動詞の ing 形②〜すること

動詞が2つ重ならないように、2つめの動詞にing をつけて名詞のはたらきをすることばに変えることができます。このパターンは、もうすでに何かをしていて、それを「〜する」に当てはめるときに使います。

🔊 **62** 音読の目標 **8** 秒

① 私の父はたばこをすうのをやめました。
　　　　　□ 父 father 〔fɑːðər/ファーザァ〕
　　　　　□ 〜するのをやめた stopped
〔stɑpt/スタップトゥ stɔpt/ストップトゥ〕

② 私の父は酒を飲むのをやめました。
　　〔gave up を使って〕

③ 私たちの仕事をしてしまいましょう。
　　　　　□ 〜しましょう let's 〔lets/レッツ〕
　　　　□ 〜しおえる finish 〔finiʃ/フィニッシ〕
　　　　　□ 仕事 work 〔wəːrk/ワ〜ク〕

④ 私は泳ぐのを楽しみました。

⑤ （さっきから）あくびばかりしていますね。
　　　　　□ 〜し続ける keep 〔kiːp/キープ〕

① My father stopped smoking.

② My father gave up drinking.

③ Let's finish doing our work.

④ I enjoyed swimming.

⑤ You keep yawning.

give up

Point

●〜 ing ＝（もうすでにやっている）〜をすること
① smoking（たばこをすうこと）をしていて、
　stopped（やめた）
② drinking（酒を飲むこと）をしていて、
　gave up（やめた）
③ doing our work（私たちの仕事をすること）をしていて、
　finish（してしまう）
④ swimming（泳ぐこと）をしていて、
　enjoyed（楽しんだ）
⑤ yawning（あくびをすること）をしていて、
　keep（続けている）

🗣 発音のコツ

stopped smoking
〔stɑpt smoukiŋ /スタップ・スモーゥキン・〕
t と s がローマ字にならないので、t の音を飲み込むようにして発音します。
●「ng」の発音
smoking〔smoukiŋ /スモーゥキン・〕たばこをすうこと
drinking〔drinkiŋ /ジュリンキン・〕酒を飲むこと
swimming〔swimiŋ /スウィミン・〕泳ぐこと
yawning〔jɔːniŋ /ヨーニン・〕あくびをすること
・のしるしをつけてある g の音は、鼻から息を抜きながら発音しますが、そのように発音しにくい人はグの音を発音しないでください。

03
動詞の ing 形③
前置詞の次に動詞がくるとき

前置詞とは、名詞の前におくことばという意味なので、前置詞＋名詞で使われます。
もしどうしても動詞を使って表現したいときは、動詞の ing 形を名詞のかわりに使うことができます。

🔊 **63**　音読の目標　**10** 秒

① 私は走るのが得意です。
　　□ 得意な　good〔gud/グッドゥ／グッ・〕

② 私はテニスをするのが苦手です。
　　□ 苦手な　bad〔bæd/ベァッドゥ／ベァッ・〕

③ 私はテニスをするのがとても好きです。
　　□ とても好きで　fond
〔fɑnd/ファンドゥ／fɔnd/フォンドゥ〕

④ 私は寝る前に軽い運動をします。
　　□ する　do〔duː/ドゥー〕
　　□ 軽い運動　some exercise
〔səm eksərsaiz/スム　エクサァサーィズ〕

⑤ 私は軽い運動をしてから寝ます。

① I'm〔am〕good at running.

② I'm〔am〕bad at playing tennis.

③ I'm〔am〕fond of playing tennis.

④ I do some exercise before going to bed.

⑤ I go to bed after doing some exercise.

Point

〈何に関して?〉
① 私は得意です　　走ること
I'm〔am〕good　　at running.

〈何に関して?〉
② 私は苦手です　　テニスをすること
I'm〔am〕bad　　at playing tennis.

〈何に関して?〉
③ 私はとても好きです　テニスをすること
I am fond　　of playing tennis.

〈何をする前に?〉
④ 私は軽い運動をします　寝ること
I do some exercise　　before going to bed.

〈何をしてから?〉
⑤ 私は寝ます　　軽い運動をすること
I go to bed　　after doing some exercise.

📖 これだけ覚えよう

● like ＜ fond of

- I like to swim very much.
- I like swimming very much.
- I'm〔am〕fond of swimming.

どれも
「私は泳ぐことが
とても好きです」
の意味

fond は、like よりも意味が強いので、"like 〜 very much" ＝ "be fond of" と覚えておきましょう。ただし、"be very fond of" といういい方もあります。

動詞の ing 形④
〜しているなになに

a〔the, this, that〕+名詞のようなパターンのとき、動詞の ing 形を 1 単語で名詞の説明として使うならば、名詞の前におくとよいのです。

🔊 64　音読の目標 **10** 秒

① あの走っている少年を見て。
　　　□〜を見る　look at　〔luk ət/ルッカッ・〕

② あの泳いでいる少年はトニー君です。

③ 私はあの走っている男の人を知っています。　□〜を知っている　know　〔nou/ノーゥ〕

④ 泳いでいるあのコイは美しい。
　　　□美しい　beautiful　〔bjuːtəfl/ビューティフォー〕

⑤ 私は眠っているあのネコがほしい。
　　□〜がほしい　want　〔want/ワントゥ・ wɔnt/ウォントゥ・〕
　　　□眠っている　sleeping　〔sliːpiŋ/スリーピン・〕

① Look at that running boy.

② That swimming boy is Tony.

③ I know that running man.

④ That swimming carp is beautiful.

⑤ I want that sleeping cat.

sleeping

Point

	〈だれを?〉
① 見て	あの走っている少年
Look at	that running boy.

〈だれ?〉

② あの泳いでいる少年ですよ　トニー君
　That swimming boy is　Tony.

〈だれを?〉

③ 私は知っている　あの走っている男の人
　I know　that running man.

〈どんな感じですか?〉

④ あの泳いでいるコイですよ　美しい
　That swimming carp is　beautiful.

〈何が?〉

⑤ 私はほしい　あの眠っているネコ
　I want　that sleeping cat.

👉 ここが大切

●眠っているあのネコ＝あの眠っているネコ
この 2 つの日本語を英語に訳すと、どちらも同じ英語になります。
「あのネコ」という名詞のはたらきをするかたまりがあるとき、その名詞の前に〜しているを入れることになっているので、この場合は、that sleeping cat となります。つまり、cat（ネコ）の説明が sleeping なので、cat の前に sleeping が入っているのです。

👉 発音のコツ

Look at　that　running　boy.

ka がローマ字になるので、ka

Look at　that　running　boy.

ローマ字にならないので、飲み込む

→〔ルッカッ・ゼァッ・ウラニン・ボーィ〕

05 # 動詞の ing 形⑤
〜しているなになに

動詞の ing 形で名詞の説明をするとき、説明が１単語以上になるならば、that boy speaking English のように名詞の後ろにおきます。

🔊 **65** 音読の目標 **16** 秒

① フランス語を話しているあの少年は
トニー君です。
   □ フランス語を話している　speaking French
   〔spiːkiŋ frentʃ/ スピーキン・フゥレンチ〕

② 私はテニスをしているあの少年を知っています。

③ あそこでおどっているあの医者は
あおいさんです。
   □ あそこでおどっている　dancing over there
   〔dænsiŋ ouvər ðeər/ ダァンスィン・オーゥヴァゼアァ〕

④ 私はピアノをひいているあの女性が
好きです。
   □ ピアノをひいている　playing the piano
   〔pleiiŋ ðə piænou/ プレーィイン・ざ　ピェァノーゥ〕

⑤ フランス語を話しているあの男の人は
池上さんですよ。

① That boy speaking French is Tony.

② I know that boy playing tennis.

③ That doctor dancing over there is Aoi.

Aoi
dancing

④ I like that lady playing the piano.

⑤ That man speaking French is Mr. Ikegami.

Point

　　　　　　〈どんな少年?〉　　〈だれですか?〉
① あの少年　フランス語を話している　トニー君です
   That boy　　speaking French　　　is Tony.
　　　　　　　　　〈だれを?〉　　　〈どんな少年?〉
② 私は知っています　あの少年　テニスをしている
   I know　　　　　that boy　　playing tennis.
　〈どんな医者?〉〈どこで?〉　　〈だれですか?〉
③ あの医者　おどっている　あそこで　あおいさんです
   That doctor　dancing　　over there　　is Aoi.
　　　　　　〈だれが?〉　　　　〈どんな女性?〉
④ 私は好きです　あの女性　ピアノをひいている
   I like　　　　that lady　　playing the piano.
　　　　　〈どんな人?〉　　　〈だれですか?〉
⑤ あの男の人　フランス語を話している　池上さんです
   That man　　speaking French　　is Mr. Ikegami.

📖 これだけ覚えよう
動詞 ing が名詞の前になるか後になるか
（１）that〔動詞の ing 形（１単語）〕boy
　　　→ that〔１単語〕boy
（２）that boy〔動詞の ing 形＋２単語以上〕
　　　→ that boy〔２単語〕
説明している単語が１単語の場合は、名詞の前におくこと。
説明している単語が２単語以上のときは、名詞の後におくこと。

👉 ここが大切
英語に訳すときのコツ
「英語を話しているあの少年はトニーです。」
〔一番いいたいこと〕あの少年はトニーです。
〔→この英語が基本〕 That boy is Tony.
↓「英語を話しているあの少年はトニーです。」
上の公式を使うと→
That boy (speaking English) is Tony.

01 「～の方がもっと～」「一番～」

形容詞または副詞の最後に er をつけると、「～の方がもっと～」、est をつけると「一番～」をあらわすことができます。

「一番～」をあらわすときには、the ＋形容詞〔副詞〕est のように the をつけます。

🔊 66　音読の目標　**5**　秒

① 私は背が高い。
　　　　□ 背が高い　tall　〔tɔːl/ トーオ〕

② 私の方が背が高い。
　　　　□ ～の方が背が高い　taller　〔tɔːlər/ トーラァ〕

③ 私は一番背が高い。
　　　　□ 一番背が高い　the tallest
　　　　〔ðə tɔːlist/ ざ　トーレストゥ〕

④ 私の車の方が大きい。
　　　　□ 大きい　big　〔big/ ビッグ〕
　　　　□ ～の方が大きい　bigger　〔bigər/ ビガァ〕

⑤ 私の車は一番大きい。
　　　　□ 一番大きい　the biggest
　　　　〔ðə bigist/ ざ　ビゲストゥ〕

① I'm〔am〕tall.
② I'm〔am〕taller.
③ I'm〔am〕the tallest.
④ My car is bigger.
⑤ My car is the biggest.

the tallest

Point

① 私は　　　　　背が高い。
　I'm〔am〕　　 tall.
② 私の方が　　　背が高い。
　I'm〔am〕　　 taller.
③ 私は一番　　　背が高い。
　I'm〔am〕　　 the tallest.
④ 私の車の方が　大きい。
　My car is　　 bigger.
⑤ 私の車が一番　大きい。
　My car is　　 the biggest.

発音のコツ

tall〔tɔːl ／トーオ〕　　taller〔tɔːlər ／トーラァ〕

発音記号の〔l〕が単独できているときは、〔オまたはウ〕
l の次に 母音（ア、イ、ウ、エ、オ）の音がきているときは、
〔lər ／ラァ〕のように、ローマ字のようによみます。

ここが大切

最後の文字を重ねて -est をつけることば

big のように、最後の文字の前が短母音（ア、イ、ウ、エ、オ）
の単語は、最後の文字を重ねて er または est をつけ
ます（→ bigger, biggest）。

tall は、〔ɔːl ／オーオ〕のように、最後の文字の前が長
母音（アー、アーィ、イー、ウー、エーィ、オー、オーゥ）の場
合は、最後の文字を重ねません（→ taller, tallest）。

74

02 「〜よりも」「〜の中で一番」

> 〜er than −（−よりももっと〜）、the 〜est（一番〜）の次に of と in がくることがあります。
> 「of ＋複数をあらわすことば」、「in ＋１つのかたまり」で「〜のうちで」「〜の中で」をあらわします。

🔊 **67**　音読の目標 **8** 秒

① 私はかおるさんよりも背が高い。

② 私は私たちのクラスの中で一番背が
高い。
　　　□ 私たちのクラスの中で　in our class
　　　〔in auər klæs/ イナーゥァ　クレァス〕

③ 私は私たちみんなの中で一番背が高い。
　　　□ 私たちみんなの中で　of us all
　　　〔əv ʌs ɔːl/ オヴァソーオ〕

④ 佐知子さんはかおるさんよりも美しい。

⑤ 佐知子さんは私たちみんなの中で一番
美しい。

① I'm〔am〕taller than Kaoru.

② I'm〔am〕the tallest in our class.

③ I'm〔am〕the tallest of us all.

the most
beautiful

④ Sachiko is more beautiful than Kaoru.

⑤ Sachiko is the most beautiful of us all.

Point

① 私の方が背が高い　　〈だれよりも?〉かおるさん
　I'm〔am〕taller　　　　　than Kaoru.
② 私は一番背が高い　　〈何の中で?〉私たちのクラス
　I'm〔am〕the tallest　　in our class.
③ 私は一番背が高い　　〈何の中で?〉私たちみんな
　I'm〔am〕the tallest　　of us all.
④ 佐知子さんの方が美しい〈だれよりも?〉かおるさん
　Sachiko is more beautiful　than Kaoru.
⑤ 佐知子さんは一番美しい〈何の中で?〉私たちみんな
　Sachiko is the most beautiful　of us all.

👉 **ここが大切**

〜 est in か〜 est of か

the tallest ＋ in または of は次のように考えてください。

> A in B は、B の中にある〔いる〕A
> A of B は、B のうちの A

かんたんに覚えたい人は次のように覚えてください。

> in ＋ひとつのかたまり
> of ＋複数のもの

✋ **ここをまちがえる!**

どうして「the」〜 est なの?

the tallest のようになっているのは、「一番背が高い」から。ということは１人しかいないことなので、１つしかないという意味の the がついています。

第１週　英文法きほんのきほん

第２週　中学で習ういろいろな文

第３週　覚えておきたい英語のルール

03 A is as ～ as B で「A は B と同じぐらい～」

A is as ～ as B.（A は B と同じぐらい～。）と A is ～ er than B.（A は B よりも～。）に not を入れると（A は B ほど～ない。）で、not の位置に three times（3倍）を入れると、（A は B の3倍～。）をあらわすことができます。

🔊 68　音読の目標 **11** 秒

① 私の髪(かみ)はあなたの髪と同じぐらい長い。
　　　□ 髪の毛　hair　〔heər/ ヘアァ〕
　　　□ 長い　long　〔lɔːŋ/ ローン・〕
　　　□ あなたのもの　yours
　　〔juərz/ ユアァズ　jɔːrz/ ヨアァズ〕
　　□ ～と同じぐらい　as ～ as　〔əz/ アズ〕

② 私の髪はあなたの髪ほど長くない。
〔as long as を使って〕

③ 私の髪はあなたの髪ほど長くない。

④ 私の髪はあなたの髪の3倍長い。
〔as long as を使って〕
□ 3倍　three times　〔θriː taimz/ スゥリー ターィムズ〕

⑤ 私の髪はあなたの髪の3倍長い。

① My hair is as long as yours.

as long as

② My hair isn't
as long as yours.

③ My hair isn't longer than yours.

④ My hair is three times as long as
yours.

⑤ My hair is three times longer
than yours.

Point

① 私の髪は同じぐらい長い　＜何と同じ?＞あなたのもの
　My hair is as long　　　　　　as yours.
② 私の髪は長くない　　　＜どれほど?＞あなたのもの
　My hair isn't as long　　　　　as yours.
③ 私の髪の方が長くない　＜何よりも?＞あなたのもの
　My hair isn't longer　　　　　than yours.
④ 私の髪は3倍すると長さが同じになる
　　　　　　　　　　＜何と同じ?＞あなたのもの
　My hair is three times as long　　as yours.
⑤ 私の髪の方が3倍長い　＜何よりも?＞あなたのもの
　My hair is three times longer　　than yours.

🐵 ここが大切

● 1つの英文で my hair（私の髪）の話をした後にあなたの髪について話すときは、髪を2度使わずに yours（あなたのもの）を使うことが多いようです。ただし、your hair としてもまちがいではありません。
● not + as ～ as = not ～ er than は同じ意味です。not のかわりに three times（3倍）を入れても同じ意味になります。

😵 ここをまちがえる!

●同じ文でも強くいう場所によって意味が変わります。
My hair isn't as long as yours.
→ long を強くいうと（私の髪はあなたの髪ほど長くない。）
→ 1つめの as を強くいうと（私の髪はあなたの髪と同じ長さではない。）

04 good, well, very much と better, (the) best

good（よい、じょうずな）、well（よく、じょうずに）、very much（とても）が better、(the) best と変化します。

🔊 **69** 　音読の目標 **11** 秒

① あなたの英語は私の英語よりもじょうず
です。　□ よい、じょうずな　good〔gud/グッ・〕
　　　　□ よく、じょうずに　well〔wel/ウェオ〕
　□ よりよい、よりじょうずな、よりじょうずに、
よりよく、もっとたくさん　better〔betər/ベタァ〕

② あなたは私よりもじょうずに英語を
話します。

③ 私はこの自転車よりもあの自転車の方が
好きです。

④ あなたは私たちみんなの中で一番
じょうずに英語を話します。
　　□ 一番〔よい、じょうずな、よく、たくさん〕
　　　　　　best〔best/ベストゥ〕

⑤ あなたの自転車は私の自転車よりも上等
です。

① Your English is better than mine.

② You speak English better than I do.

③ I like that bike better than this one.

④ You speak English (the) best of us all.

⑤ Your bike is better than mine.

Point

⟨= my English⟩　⟨何よりも?⟩
① あなたの英語の方がじょうずですよ　　私の英語
Your English is better　　than mine.
　　⟨何を?⟩　⟨どのように?⟩　⟨だれよりも?⟩
② あなたは話します 英語 よりじょうずに　　私
You speak　English　better　than I do.
　　⟨何が?⟩　⟨どのように?⟩　⟨何よりも?⟩
③ 私は好きです あの自転車 よりたくさん　この自転車
I like　that bike　better than this one.
　　⟨何を?⟩　⟨どのように?⟩　⟨何の中で?⟩
④ あなたは話します 英語 一番じょうずに 私たちみんな
You speak　English　(the) best　of us all.
　　⟨何よりも?⟩
⑤ あなたの自転車の方が上等です　　私の自転車
Your bike is better　　than mine.
⟨= my bike⟩

📖 これだけ覚えよう
than I do のなぞ
Do you speak English?（あなたは英語を話しますか。）
Yes, I do.（はい、話します。）
英語ではこのように "Yes, I speak English." の意味をあらわすかわりに "Yes, I do." というのが普通です。
このことから、"You speak English better than I do." の "do" は "speak English" のかわりに使われているのです。
つまり、「あなたは私が英語を話すよりもじょうずに英語を話します。」という意味なのです。

77

05 どちらが好き？ 一番はどれ？

Which do you like better, A or B? を使って、どちらが好きかをたずねます。like を speak にかえてもこのパターンを使えます。
What's the 〜est ○○？で、どこが一番〜なのかを聞くことができます。

🔊 **70** 音読の目標 **13** 秒

① あなたは熊本城と松本城のどちらが好きですか。
　　　　□ どちら　which　[wítʃ/ウィッチ]
　　　　□ 城　castle　[kǽsl/キャッツール]

② あなたは英語と日本語のどちらをじょうずに話しますか。
　　　　□ 英語　English　[íŋglíʃ/イングリッシ]

③ 日本で一番高い山はどこですか。
　　　　□ 山　mountain　[máuntn/マーゥンドゥンヌ]

④ 世界で一番高い山はどこですか。

⑤ 日本で一番高いタワーはどこですか。
　　　　□ タワー　tower　[táuər/ターゥァ]

① Which do you like better, Kumamoto Castle or Matsumoto Castle?

② Which do you speak better, English or Japanese?

③ What's the highest mountain in Japan?

④ What's the highest mountain in the world?

⑤ What's the tallest tower in Japan?

Point

① <どちらが＋> あなたはより好きですか。
　　　　　　　　　　熊本城、それとも、松本城。
Which　do you like better,　Kumamoto Castle or
　　　　　　　　　　Matsumoto Castle?

② <どちらを＋> あなたはよりじょうずに話しますか。
　　　　　　　　　　英語、それとも、日本語。
Which　do you speak better, English or Japanese?

③ <何ですか＋> 一番高い山　<どこにある?> 日本
What's　the highest mountain　in Japan?

④ <何ですか＋> 一番高い山　<どこにある?> 世界
What's　the highest mountain　in the world?

⑤ <何ですか＋> 一番高いタワー　<どこにある?> 日本
What's　the tallest tower　in Japan?

💡 ここをまちがえる！
●③④⑤は、日本語では「〜はどこですか」となっていても、**本当に知りたいことは名前なので「〜は何ですか」と聞かなければなりません。**それに対して英語の where はどこにという意味なので、"Where is 〜？" とすると、「どこにありますか。」と聞いたことになります。

例 Where is the tallest tower in Japan?
　→（答）In Tokyo

例 What's the tallest tower in Japan?
　→（答）Tokyo Skytree

●「高い」をあらわす単語は、high と tall があります。
┌ high －高いけれども横にも広い
└ tall －木のように上に高くそびえている
このことから、「私は背が高い」は、
[○] I'm tall.　[×] I'm high.

78

第**3**週

覚えておきたい
英語のルール

01 1つでも2つでもリンゴはリンゴ？

名詞が「どれでもいいから1つ」のときには前に「a」をつけます。
次に続く名詞がアイウエオからはじまるときは「an」になります。

🔊 71　音読の目標　**9**　秒

① 直美さんは黒い車をもっています。

② これはアメリカの車です。
□ 1つ（台）のアメリカの　an American
〔ən əmerikən/ アナメッリカン〕

③ これは直美さんの車です。

④ 私たちの学校は100人の生徒が
います。
□ 100 の　a hundred
〔ə hʌndrəd/ ア　ハンジュレッ・〕

⑤ 「あなたは自転車を2台もって
いますか。」
「いいえ、1台もっています。」

① Naomi has a black car.

a car

② This is
an American car.

③ This is Naomi's car.

④ Our school has a hundred
students.

⑤ "Do you have two bikes?"
"No, I have one."

Point

● 日本語では 🍎 でも 🍎🍎でも「リンゴ」ですが、英語では🍎は an apple、🍎🍎は apples のように、表現がちがいます。
● 「1つの」ものをあらわす名詞の前に「a」をつけることがあります。

👉（ここが大切）……………………
a をつけるとき、one をつけるとき
車なら、たくさんある車のうちからどれでもよいから、1台を選んだときに a car のように a をつけます。
このときの「a」は、ある1台のという意味をあらわします。
だれの車かがはっきりしているときには、a を使うことができません。
例 [○] a book（1冊の本）　[×] a my book
例 [○] a dog（1ぴきのイヌ）[×] a Naomi's dog

● 日本語に訳すときは、とくに「ひとつの」のように訳さないことが多いのですが、a が one の意味をあらわしているときだけは、はっきり訳します。
この場合は、a よりも one を使う方が、強調したいい方になります。
⑤のように、a ではなく one しか使えないときもあります。

📖（これだけ覚えよう）……………………
an を使うとき
a の次にくる名詞が〔母音〕ア、イ、ウ、エ、オの音からはじまっているときは、a のかわりに an を使います。
例 an American〔アナメッリカン〕
実際に使うときは、nA〔ナ〕のようによみます。

02 2つ以上のものや人につける s や es

2つ以上のものや人をあらわすことばのうしろには、s をつけます。
その他に es や ies がつくこともあります。

🔊 72 音読の目標 **9** 秒

① 直美さんはイヌが好きです。

② 東京と大阪は大都市です。
　　　□ 都市　city〔siti／スィティ〕
　　　→ cities〔sitiz／スィティズ〕

③ 私は皿が2枚必要なんですよ。
　　　□ 皿　dish〔diʃ／ディッシ〕
　　　→ dishes〔diʃiz／ディッシィズ〕

④ 私はガラスのコップが2個必要
　なんですよ。
　　　□ ガラスのコップ　glass〔glæs／グレァス〕
　　　→ glasses〔glæsiz／グレァスィズ〕

⑤ これらのベンチは古い。
　　　□ ベンチ　bench〔bentʃ／ベンチ〕
　　　→ benches〔bentʃiz／ベンチィズ〕

① Naomi likes dogs.

② Tokyo and Osaka are big cities.

③ I need two dishes.　two dishes

④ I need two glasses.

⑤ These benches are old.

Point

● 2つ以上のものをあらわす単語には、最後に s を
つけます。ほとんどの s は〔s／ス〕または〔z／ズ〕
とよみます。

🗣 発音のコツ

es をつけるときとよみ方
●単語の最後の発音が〔s／ス〕〔z／ズ〕〔ʃ／シ〕〔tʃ／チ〕
でおわるときは、es をつけます。これは〔iz／イズ〕
とよみます。
　dish〔diʃ／ディッシ〕→ dishes〔diʃiz／ディッシィズ〕
　glass〔glæs／グレァス〕→ glasses〔glæsiz／グレァスィズ〕
●単語の最後の音が o でおわるときの es は、〔z／ズ〕
とよみます。
●単語の最後が y でおわっていて〔i／イ〕とよむと
きは、y を i にかえて es をつけます。このときの es
は〔iz／イズ〕とよみます。
　city〔siti／スィティ〕→ cities〔sitiz／スィティズ〕

⚠ ここをまちがえる！
● like の次にくるのが**数えられる名詞**の場合は、s ま
たは es をつけて使いますが、**数える必要のない名詞**
にはつける必要はありません。
　例 I like tennis.（私はテニスが好きです。）
●数えられる名詞であっても、切り身で食べるのが一
般的なら s をつけません。
　例 I like dog.（私はイヌの肉が好きです。）
　　←の意味になってしまう！
　例 I like watermelon.（私はスイカが好きです。）
● o でおわる単語でも、何かの短縮形だと es ではなく
s をつけます。
　例 ラジオ radiotelegraphy → radios
　〔reidiouz／ウレーィディオーゥズ〕
　ピアノ pianoforte → pianos
　〔piænouz／ピェァノーゥズ〕

03 それ1つしかないときにつける the

それ1つしかないとき、または世の中に1つしかないものをあらわすときに、the をその単語の前につけます。

🔊 73　音読の目標　**9**　秒

① 私はイヌをかっています。
　　そのイヌの名前は直美です。

② 戸をしめてください。
　　□ ～をしめる　close　〔klouz/ クローゥズ〕

③ どちらが一番よい自転車ですか。
　　□ 一番よい自転車　the best bike
　　〔ðə best baik/ ざ　ベス・バーィク〕

④ 第1走者は酒井君です。
　　□ 第1走者　the first runner
　　〔ðə fə:rst rʌnər/ ざ　ファース・ゥラナァー〕

⑤ 太陽が輝いています。
　　□ 輝いている　shining〔ʃainiŋ/ シャーィニン・〕

---

① I have a dog.
　　The dog's name is Naomi.

② Please close the door.

③ Which is the best bike?

④ The first runner is Mr. Sakai.

⑤ The sun is shining.

The dog's
name
is
Naomi.

Point

👉 **ここが大切**

a を使うとき、the を使うとき

●英語では、まずは a〔an〕＋名詞で話をはじめ、同じものについて話すときは2回目からは the ＋名詞で話をすすめます。

　例 I have a dog.
　　　The dog's name is Naomi.　←さっき話した「私がかっているイヌ」のことね

●相手と話し手の間で、どれを指しているかがわかっているときは、the ＋名詞であらわします。

　例 Please close the door.
　　　（あなたの近くのその）戸をしめてください。

●それ1つ　または　1人しかいない場合と、世の中に1つしかないものをあらわすときに the ＋名詞であらわします。

例 the best bike　→「これが一番」の自転車
例 the first runner →「チームの中で1人だけ」
　　　　　　　　　　　　の第一走者
例 the sun　　　　→ 太陽は1つだけなので

😊 **発音のコツ**

●英語では、先の単語の最後の音と次の単語の最初の音がローマ字になるときは、くっつけて発音します。ローマ字にならないときは、先の単語の最後の音を発音せずに次の単語の最初の音を発音します。

　The sun is〔ざ　サニズ〕　n + i → ni ローマ字になってる！
　the best bike〔ざ　ベス・バーィク〕　ローマ字になってない！
　the first runner〔ざ　ファ〜ス・ゥラナァ〕

04 a, an, the がなくても 意味がわかる名詞

その名前をいっただけで相手に通じるような名詞には
a〔an〕も the もつけなくてよいという決まりがあります。

🔊 74 音読の目標 **8** 秒

① 私は丹波篠山に住んでいます。
　　□ 〜に住んでいる　live in　〔liv in/ リヴィン〕

② 私は毎日テレビを見ます。
　　　　□ テレビを見る　watch TV
　　〔watʃ tiːviː/ ワッチ　ティーヴィー〕

③ 私は音楽が好きです。

④ 私は英語が好きです。

⑤ 私は富士山がとても好きです。
　　□ 富士山　Mt. Fuji　〔maunt fuʒi/ マーゥン・フジ〕

① I live in Tamba-Sasayama.

② I watch TV every day.

③ I like music.

④ I like English.

Mt. Fuji

⑤ I like Mt. Fuji very much.

Point

👉 ここが大切

●たくさんあるうちのどれでもよいから1つ　または　1人をあらわしたいときには a〔an〕＋名詞を、その人　また　そのもの1つしか指さないときには、the ＋名詞を使うとお話ししました。
でも、a〔an〕も the をつける必要がない名詞があります。
それは、その名前をいっただけで相手に伝わる名詞です。

例 Mt. Fuji　富士山
　　Tokyo Tower　東京タワー

🗣 発音のコツ

●英語では、強くいうところと弱くいうところがあります。
「TV」「OK」のようにアルファベットが2つ並んでいるときは、2つめの文字を強くいいます。
これはつまり、1つめを弱くいうということです。
同じように考えて、「NHK」「DVD」のようにアルファベットが3つ並んでいるときは3つめを強くいいます。
英語では、強・弱・強のようにくり返すのが一般的なので、
「N（強）H（弱）K（強）」
「D（強）V（弱）D（強）」
のように発音すると英語らしく聞こえるのです。

05 数えられる名詞、数えられない名詞

数えられる名詞をあらわすとき、1つならば前に a をつけますし、2つ以上ならば単語の最後に s〔es〕をつけますが、数えられない名詞には a や s〔es〕をつけることができません。

🔊 75　音読の目標　**7**　秒

① 私はテニスをするのが好きです。

② 「紅茶かコーヒーか、いかがですか。」
「紅茶をください。」
□ 紅茶かコーヒーか　tea or coffee
〔ti: ɔːr kɔːfi／ティー　オーァ　コーフィ〕
□ 紅茶かコーヒー〔それとも他の飲みもの〕
tea or coffee〔ti: ər kɔːfi／ティー　オァ　コーフィ〕

③ 音楽を聞きましょう。

④ テレビを見ましょう。

⑤ あなたは日本食が好きですか。
□ 日本食　Japanese food
〔dʒæpəniːz fuːd／ヂェァパニーズ　フードゥ〕

① I like playing tennis.

② "Tea or coffee?" "Tea, please."

sushi
tempura

③ Let's listen to music.

④ Let's watch TV.

⑤ Do you like Japanese food?

Point

👉 ここが大切

数えられない名詞の見分け方
●英語では「数えられる名詞」と「数えられない名詞」があります。
● tennis（テニス）などのスポーツ名、tea（紅茶）や coffee（コーヒー）などの飲みもの、music（音楽）、TV（テレビ）、Japanese food（日本食）などは**数えられない名詞**です。これらに、a や s をつけることはできません。
●数えられない名詞は、飲み物のように「容器に入れないと数えられない、一定の形がない」ものや、マラソンや水泳のように日本語でも同じように「数える習慣がない」ものだと考えるとよいでしょう。
●冷凍食品のように、食べ物の種類をあらわすときは、frozen foods〔frouzn fuːdz／フゥローゥズン　フーヅ〕のように food に s をつけて使います。

●"Tea or coffee?" を「紅茶かコーヒー」2択（たく）で聞きたいときは、"Tea（↗）or coffee（↘）?" のように、Tea で軽く声を上げて、coffee で下げていいます。
最後に？がついているからと "Tea（↗）or coffee（↗）?" のように最後を上げていうと、「紅茶、コーヒー〔それとも他の飲みもの〕にしますか。」と受け取られるので注意が必要です。

🐵 発音のコツ

●"Japanese food" のようになっているときは、Ja〔dʒæ／ヂェァ〕のところを強くいうのが一般的ですが、"I am Japanese."（私は日本人です。）のように〔is, am, are〕+ Japanese になるときは、ne〔niː／ニー〕のところを強く発音します。

01 like ＋数えられる名詞と 数えられない名詞

like の次に数えられない名詞がくるときは s をつけませんが、
数えられる名詞のときには s をつけます。切り身で食べるときには、数えられる名詞でも s をつけません。

🔊 **76** 音読の目標 **5** 秒

① 私は英語が好きです。

② 私はイヌが好きです。

③ 私はリンゴが好きです。
　□ 2個以上あるリンゴ　apples〔æplz／エァポーズ〕

④ 私はスイカが好きです。
　□ スイカ　watermelon
〔wɔːtərmelən／ウォータァメロンズ〕

⑤ 私はピザが好きです。
　□ ピザ　pizza〔piːtsə／ピーッァ〕

① I like English.

② I like dogs.

③ I like apples.

④ I like watermelon.

⑤ I like pizza.

like apples

Point

🗣️ **ここが大切**

数えられる名詞

● like（好きです）の次にくる名詞が数えられるときには、名詞に s をつけますが、数えられない名詞のときには、s をつけることはできません。

⚠️ **ここをまちがえる!**

数えられる名詞にいつも s をつけるわけじゃない

● ただし、数えられる名詞であっても、食べるときに丸ごとではなく、切り身で食べるのが普通のときは、s をつけません。
　例 I like chickens.（私はニワトリが好きです。）
　例 I like chicken.（私はニワトリの肉が好きです。）

🗣️ **発音のコツ**

apples〔æplz／エァポーズ〕の l と、like の l
発音記号の〔l〕の音には、2種類の音の出し方があります。

● a, i, u, e, o が l とくっついていないときは、〔オ〕または〔ウ〕のように考えて発音してください。
　例 milk〔milk／ミオク〕

●〔l〕に a, i, u, e, o がくっついているときは、舌の先を上の歯ぐきにしっかりつけたまま舌の両側から声を出して、〔ら、り、る、れ、ろ〕のように発音します。
　例 watermelon〔wɔːtərmelən／ウォータァメロンズ〕

第1週　英文をきほんのきほん

第2週　中学で習っているうちる子

第3週　覚えておきたい英語のルール

02 数えられない名詞を数える方法① a piece of

数えられない名詞の前に a piece of をつけて「1つの」という意味で使うことができます。
「2つの」をあらわしたいときは two pieces of といいます。

🔊 **77**　音読の目標　**9**　秒

① 私に紙を1枚もってきてください。
　　□ 私に～をもってきてください　Please bring me ～
　　　　〔pliːz briŋ miː/ プリーズ　ブッリン・ミー〕

② 私にケーキを1切れください。
　　□ 私に～を与えてください　Please give me ～
　　　　〔pliːz giv miː/ プリーズ　ギ・ミー〕

③ 私によいアドバイスをください。

④ 私に2切れスイカをください。

⑤ これはよい知らせですよ。
　　□ よい知らせ　good news 〔gud njuːz/ グッ・ニューーズ〕

① Please bring me a piece of paper.

a piece of cake

② Please give me a piece of cake.

③ Please give me a good piece of advice.

④ Please give me two pieces of watermelon.

⑤ This is a piece of good news.

Point

● a や two などをつけて使うことができない名詞を数えたいときは、いくつかに小分けにするイメージで話しましょう。
「1つの」は a piece of、「2つの」は two pieces of を使ってあらわすことができます。
　　1枚の紙　a piece of paper
　　2枚の紙　two pieces of paper
　　よいアドバイス　（1）a good piece of advice
　　　　　　　　　　　　（こちらの方がよく使う）
　　　　　　　　　　　（2）a piece of good advice
●日本語で「紙」というと ▢ 1枚のイメージが強くて「数えられる」気がするかもしれません。でもあるときはロール 🗍 だったりチョキチョキ切ると ⌂◡ 形が変わったりで「数えられない」んですね。

💬 **発音のコツ**
● 1つめの単語の最後の音と次の単語の最初の音がローマ字にならないときは、1つめの v や ŋ が聞こえないことが多いのです。
　　give 〔gi・〕 me 〔miː〕
　　bring 〔bri・〕 me 〔miː〕

● ⑤は "a good piece of news" でも、"a piece of good news" のどちらでも使えますが、"good news"（よい知らせ）というむすびつきが強いので、"a piece of good news" の方をよく使います。

03 数えられない名詞を数える方法②
a pair of, a cup of, a glass of

> 1対でないと使えない名詞は a pair of、
> 熱い飲み物は a cup of、冷たい飲み物は a glass of を使います。

🔊 78 　音読の目標 **9** 秒

① 私にコップ1杯（ばい）の紅茶をもってきてください。
　　　　　　　　□ コップ　cup 〔kʌp/ カップ〕

② 私にグラス1杯の水をもってきてください。
　　　　　　　□ ガラスのコップ　glass 〔glæs/ グレァス〕

③ 私はくつを10足もっています。
　　　　　　　　　□ 対（つい）　pair 〔peər/ ペアァ〕
　　　　　　　　　□ くつ　shoes 〔ʃuːz/ シューズ〕

④ このくつは新しい。

⑤ このくつは新しい。〔these を使って〕
　　　　　　　□ これらの　these 〔ðiːz/ ディーズ〕
　　　　　　　□ 新しい　new 〔njuː/ ニュー〕

① Please bring me a cup of tea.

a glass of water

② Please bring me a glass of water.

③ I have ten pairs of shoes.

④ This pair of shoes is new.

⑤ These shoes are new.

Point

🐵 ここが大切
● 同じ形のものが2つで1対（つい）になっているものを数えるときには、a pair of または pairs of を使います。
　例 a pair of shoes （1足のくつ）
　例 a pair of pants （ズボン1着）
● 「1足のくつ」a pair of shoes の a は「ある1つの」をあらわしているので、「このくつ」といいたいときは this pair of shoes になります。
ただし、くつは片方だけだと a shoe、両方だと shoes で、「1足の」とわざわざいう必要のないときは shoes だけで使うことができます。

　this pair of shoes ＝ these shoes ←

shoes にさらに s を
つけることはしません

🐵 発音のコツ
● 英語ではとなりあわせた音がローマ字になるときは、くっつけて発音します。
　a cup of 〔ə kʌpəv ／アカッパヴ〕
　a glass of 〔ə glæsəv ／アグレァッサヴ〕
　cups of 〔kʌpsəv ／カップサヴ〕
　glasses of 〔glæsizəv ／グレァッスィザヴ〕
　a pair of 〔ə peərəv ／アペアァゥラヴ〕

04 同じ名詞でも数えられたり、数えられなかったりする

同じ名詞でも、ちょっとした意味のちがいで、a ＋名詞、the ＋名詞、名詞の3種類の使い方があります。

🔊 **79** 音読の目標 **6** 秒

① 私はテレビを買った。
　　　□ ～を買った　bought〔bɔːt/ ボートゥ〕

② これがそのテレビです。

③ そのテレビをつけてよ。

④ 私はテレビを見たい。
　　　□ ～したい　want to
　　〔wɑnt tə/ ワン・トゥ／ wɔnt tə/ ウォン・トゥ〕

⑤ 何がテレビでやっているの？
　　　□ 何がありますか　What's〔wɑts/ ワッツ〕

① I bought a television.

② This is the television.

③ Turn on the television.
　（Turn the television on.）

④ I want to watch television.

⑤ What's〔is〕
　on television?

television

Point

●一口にテレビ＝ television〔teləvíʒən ／テレヴィジュンヌ〕といっても

　・ある1台のテレビの受像機（じゅぞうき）　→ a television
　・そのテレビの受像機　　　　　　　　　　→ the television
　・テレビの放送（ほうそう）　　　　　　　　→ television

のように、意味によって、単語の前に何がつくかが変わります。

　turn on〔təːrnɔːn ／ターノーン〕the television
　そのテレビをつける
　turn off〔təːrnɔːf ／ターノーフ〕the television
　そのテレビを消す
　on television〔ən teləvíʒən ／アン テレヴィジュンヌ〕
　テレビで

〔ここが大切〕

turn on the television と turn the television on

　　　　　　　〈何を?〉　　　　〈そしてどんな状態にする?〉
まわす　　テレビのチャンネル　ついている状態に
turn　　　the television　　　on

このパターンになるときは、次のようにいいかえることができます。

→ turn on the television

ここでは、the television となっていますが、もし it（それ）を使って、「それをつけてよ。」を英語にしたいときは、Turn it on. となります。

英語では強弱強のリズムがあるので、

強 Turn　it　強 on. となるのです。
　動詞 代名詞 副詞

動詞と副詞は強く、代名詞は弱くいうことになっているからです。

05 くり返しをさけるために使う it と one

名詞のくり返しをさけるために、2つめの名詞が1つめの名詞とまったく同じものをさしているときは、it、同じ種類の別のものをさしているときは、one を使います。

🔊 **80**　音読の目標 **11** 秒

① 「あなたは自転車をもっていますか。」
「はい、私はもっていますよ。」

② 私は私のペンを失った。だから、私はペンを買うつもりです。
　□〜を失った　lost〔lɔːst/ ローストゥ〕
　□〜を買う　buy〔bai/ バーイ〕

③ わたしは私のペンを失った。しかし、私はそれを見つけた。
　□〜を見つけた　found〔faund/ ファーゥンドゥ〕

④ このペンはこわれている。だから、私は新しいペンを買うつもりです。
　□こわれている　broken〔broukn/ ブゥローゥクンヌ/ broukən/ ブゥローゥケンヌ〕

⑤ このペンはあのペンよりも古い。
　□〜の方が古い　older〔ouldər/ オーゥオダァ〕
　□〜よりも　than〔ðən/ ザンヌ〕

① "Do you have a bike?"
"Yes, I have one."

② I lost my pen, so I'll〔will〕buy one.

③ I lost my pen, but I found it.

④ This pen is broken, so I'll〔will〕buy a new one.

⑤ This pen is older than that one.

Point

① 「あなたは自転車をもっていますか。」
「はい、私はもっていますよ。」
"Do you have a bike?" "Yes, I have one."

② 私は私のペンを失った。だから、私はペンを買うつもりです。
I lost my pen,　so I'll〔will〕buy one.

③ 私は私のペンを失った。しかし、私はそれを見つけた。
I lost my pen,　but I found it.

④ このペンはこわれている。だから、私は新しいペンを買うつもりです。
This pen is broken,　so I'll〔will〕buy a new one.

⑤ このペンの方が古い　（何よりも?）　あのペン
This pen is older　than　that one.

👉 ここが大切
● 〔 〕内の英語にいいかえることができます。
① Yes, I have one〔a bike〕.
② so I'll〔will〕buy one〔a pen〕
③ but I found it〔my pen〕
④ so I'll〔will〕buy a new one〔pen〕
⑤ This pen is older than that one〔pen〕.

●①〜⑤をかんたんに説明すると、まったく同じものをあらわすときだけ it, 別のものをあらわすときは one を使います。

01 たくさんの a lot of と much

数えられない名詞がたくさんあるとき、a lot of と much を使ってたくさんの量をあらわすことができます。

🔊 81 　音読の目標 **10** 秒

① トニー君はたくさんお金を
　もっています。

② トニー君はあまりたくさんのお金を
　もっていません。

③ トニー君はたくさんのお金を
　もっていますか。

④ トニー君はあまりにもたくさんのお金を
　もっています。
　　□ あまりにもたくさんのお金　too much money
　　〔tu: mʌtʃ mʌni/ チュー　マッチ　マニィ〕

⑤ トニー君はとてもたくさんのお金を
　もっています。
　　□ たくさんのお金　so much money
　　〔sou mʌtʃ mʌni/ ソーッ　マッチ　マニィ〕

① Tony has a lot of money.

② Tony doesn't have much money.

③ Does Tony have much money?

④ Tony has too much money.

⑤ Tony has
　so much money.

Point

👆 ここが大切

数えられない名詞の「たくさん」は much と a lot of
● 数えられない名詞について「たくさんの量の」、という意味で使うことができるのは、much と a lot of です。
● much は疑問文と否定文で使うことが多く、肯定文（普通の文）では a lot of を使うのが一般的です。
● もしどうしても、肯定文で much を使いたいときは、"too much"（あまりにもたくさんの量の）または "so much"（とてもたくさんの量の）を使ってください。

🗨 発音のコツ

聞こえない t と v
● has a lot of 〔hæzə lɑtəv /ヘァザ　ラッタヴ〕
アメリカ人がこの英語を発音すると、〔ヘァザ　ラッらヴ〕のように〔タ〕が〔ら〕で発音しているように聞こえることがあります。

● a lot of money 〔ə lɑtəv mʌni /アラッタヴ マニィ〕
これをすごく速くアメリカ人がいっているのを聞くと〔アラら・マニィ〕のように聞こえることさえあります。つまり f〔v〕の音が聞こえないのです。

02 たくさんの a lot of と many

数えられる名詞がたくさんあるとき、a lot of と many を使ってたくさんの数をあらわすことができます。

🔊 82 音読の目標 **10** 秒

① 酒井さん（女性）はたくさんの本をもって
います。
　　□ ～さん（女性一般）　Ms.〔miz/ ミズ〕
　□ ～さん（結婚している女性）　Mrs.〔misiz/ ミスィズ〕
　　□ ～さん（男性）　Mr.〔mistər/ ミスタァ〕

① Ms. Sakai has a lot of books.

② 酒井さんはあまりたくさんの本をもって
いません。

② Ms. Sakai doesn't have many books.

③ 酒井さんはたくさんの本をもって
いますか。

③ Does Ms. Sakai have many books?

④ 酒井さんはあまりにもたくさんの本を
もっています。

④ Ms. Sakai has too many books.

⑤ 酒井さんはとてもたくさんの本をもって
います。

⑤ Ms. Sakai has so many books.

Point

✍️（ここが大切）‥‥‥‥‥‥‥‥‥‥‥‥‥‥‥‥‥‥

数えられる名詞の「たくさん」は many と a lot of
● 数えられる名詞で「たくさんの数の」、という意味で使うことができるのは、a lot of と many です。
● many は疑問文と否定文で使うことが多く、肯定文では、a lot of を使うのが一般的です。many を肯定文で使うと、とてもかたいいい方になります。
● many を肯定文で使いたい場合は、"too many"（あまりにもたくさんの数の）、"so many"（とてもたくさんの数の）という形で使ってください。

● Mrs. や Ms.，Mr. のような（～さん、～氏）にあたるいい方は、名前の前につけることはできません。名字とセットです。
　［×］Ms. Naomi（直美）→［○］Naomi
　［○］Ms. Naomi Sakai（酒井直美さん）
　［○］Ms. Sakai（酒井さん）
● 日本語の「～さん」よりも英語の Ms. の方がかたいいい方なので、親しい間柄では、相手が目上であっても名前で呼ぶのが普通なのです。
● もしあなたがいつも Naomi と呼んでいる人を Ms. Sakai と呼ぶと、あなたが相手に怒っているのかと思われるので、注意が必要です。
● 最近は、Mrs.（結婚している女性の名字の前に使う）ではなく、結婚していてもいなくても使える Ms. が普通になってきています（ただし、使う人もいます）。

03 some, any と not any

some と any は、同じ意味で使われますが、肯定文では some、否定文と疑問文では、any を使うのが基本です。

🔊 83 　音読の目標 **6** 秒

① 私はいくらかお金をもっています。
　　　　　　　□ お金をいくらか　some money
　　　　　　　　〔səm mʌni／スム　マニィ〕

② あなたはいくらかお金をもって
　いますか。
　　　　　　　□ お金をいくらか　any money
　　　　　　　　〔eni mʌni／エニィ　マニィ〕

③ 私はお金を少しももっていません。

④ 私は何冊か本をもっています。

⑤ あなたは何冊か本をもっていますか。

① I have some money.

② Do you have
any money?

some money

③ I don't have any money.

④ I have some books.

⑤ Do you have any books?

Point

📖 これだけ覚えよう

いくらかあると some、いくらかあるかは any
● 「いくらか」の意味の some は肯定文で、否定文と疑問文では any を使うのが基本になっています。
● some や any は、その次にくる名詞によって「何～」「数～」と日本語に訳すことが多く、本なら「何冊」、「数冊」のように訳します。
ただし、お金の場合は「いくらかのお金」「お金をいくらか」と訳します。
● 否定文では、any を not といっしょに使います。意味は、「少しも～ない」と訳せばよいでしょう。
● not ～ any を no でいいかえることもできます。
　I don't have any money.
　（私は少しもお金をもっていません。）
　＝ I have no money.

🗣 発音のコツ

some money と any money の発音
● some と any は強く発音しないで money を強く発音します。
some は〔サム〕ではなく、〔スム〕ぐらいがぴったりだと思います。
some money を〔sʌm mʌni／サム　マニィ〕のようにどちらも強くいうと、「かなりのお金」という意味になってしまいます。

⚠ ここをまちがえる！

● 1つあるのが当然であるものが少しもないときは、not any を使わずに not a を使ってあらわします。
　例）私には父がいません。
　　I have no father.
　　I don't have a father.

04

相手に Yes を期待している質問の some、期待してない any

相手に質問をするときに、Yes を期待しているときは、some を使って、そうでない場合は any を使います。

🔊 84　音読の目標　**6** 秒

① あなたはお金をいくらかもっていますか。〔Yes を期待〕
　　　　　　　　　　　　□ お金をいくらか
　　some money　〔səm mʌni／スム　マニィ〕

② あなたはお金をいくらかもっていませんか。〔Yes を期待していない〕

③ あなたは友だちが何人かいますか。〔Yes を期待〕

④ あなたは友だちは何人かいませんか。〔Yes を期待していない〕

⑤ あなたは紅茶を少し飲みませんか。〔Yes を期待〕
　　　　　　　　□ ～しませんか　Won't you ~?
　　　　　　　　〔wountʃuː／ウォーゥンチュー〕
　　　　　　　　□ 紅茶　tea　〔tiː／ティー〕

① Do you have some money?

② Do you have any money?

③ Do you have some friends?

④ Do you have any friends?

⑤ Won't you have some tea?

some money?

Point

🗯 **ここをまちがえる！** ………………………

● 中学校では some を肯定文（普通の文）で使い、any を疑問文で使うと教えています。
でも、あくまでもこれは基本になる文法で、時と場合によっては、some を使って Yes を期待しないと相手に失礼になることがあります。
そのようなときには、any を使わずにかならず some を使います。
上の問題でいうと⑤ はかならず some を使います。

つまり、相手に何か頼むときとか、相手に何かをすすめるときには、some を使うと覚えておけばよいと思います。

🐵 **発音のコツ** ………………………

ツ、トゥ、チュ…の発音

● friends 〔frendz ／フゥレンヅ〕
ローマ字で〔つ〕をあらわすときは、tsu ですよね。〔つ〕から u を取り除くと、ts で〔ッ〕となります。
t は〔トゥ〕で、d は〔ドゥ〕であることから、ts が〔ッ〕ならば、ds で〔ヅ〕となるのです。
● t〔トゥ〕と you〔ユー〕がくっつくと、〔チュー〕と発音します。
このことから、Won't you は〔ウォーゥンチュー〕とよめばよいことがわかります。

05 少しある a few と a little、ほとんどない few と little

数が少しあるときは a few、ほとんどないときは few、量が少しあるときは a little、ほとんどないときは little を使います。

🔊 85　音読の目標　**6**　秒

① 直美さんは何人か友だちがいます。

② 私は少しお金をもっています。
　　　　　　　　　□ 少しのお金　a little money
　　　　　　　〔ə litl mʌni/ ア　リトー　マニィ〕

③ 私はほとんどお金をもっていません。

④ 私は友だちが少ないのですが、
　　少しはいます。
　　　　　　　　　□ 少ないが少しの友だち
a few friends　〔ə fju: frendz/ ア　フュー　フゥレンヅ〕

⑤ 私はほとんど友だちがいません。

① Naomi has some friends.

② I have a little money.

③ I have little money.

④ I have a few friends.

⑤ I have few friends.

Point

📖 これだけ覚えよう

●数について「少しある」は a few、「ほとんどない」は few であらわします。

量について「少しある」は a little、「ほとんどない」は little であらわします（「ほとんどない」は、少ないと訳してもよいのです）。

👆 ここが大切

「少ない」ものをどう見るかでいいかたが変わる

●だれが見ても同じように考えることができる場合は some を使います。

話し手が「少しある」と思えば a few や a little、「ほとんどない」と思えば few や little を使います。

話し手次第
なんですね

😊 発音のコツ

● little 〔litl〕に、ア、イ、ウ、エ、オの音がくっついていないときは、最後の音を〔オ〕または〔ウ〕と発音すると英語らしく聞こえます。

この本では、〔リトー〕とあらわしています。

●ただし、アメリカ人が little を発音しているのを聞くと〔リろー〕のように聞こえることが多いので、注意が必要です。

● have a は〔hævə ／ヘァヴァ〕のように発音してください。

v とə がくっついて〔və ／ヴァ〕となるのです。

01 場所をあらわす at は 1 地点、in は中、on は面

場所をあらわす前置詞 at は 1 地点、
in は何かで囲<ruby>囲<rt>かこ</rt></ruby>われた中、
on は何かの面にくっついているときに使います。

🔊 **86** 音読の目標 **9** 秒

① 私は青山通り 49 番地に住んでいます。
　□ 通り　street 〔stri:t/ スチュリートゥ〕

② 私は<ruby>丹波篠山<rt>たん ば ささやま</rt></ruby>に住んでいます。

③ 私はデカンショ通りに住んでいます。

④ 私は 3 階に住んでいます。
　□ 3 階　the third floor
〔ðə θə:rd flɔ:r/ ざ　さ〜・フローァ〕

⑤ 1 ぴきのハエがかべにとまっています。

① I live at
　49 Aoyama Street.

② I live in
　Tamba-Sasayama.

③ I live on Dekansho Street.

④ I live on the third floor.

⑤ A fly is on the wall.

Point

👆 ここが大切

前置詞はいつも名詞といっしょ

●前置詞とは、名詞の前におくことばと覚えましょう。なぜ前置詞＋名詞のパターンになるのかというと、英語では、疑問が生まれるような単語を先に置いてその疑問に答えながら進んでいくからです。

　例 at（〜に）　〈どこに?〉 49 Aoyama Street
　　　　　　　　　　　　（青山通り 49 番地）
　　in（〜の中に）〈どこの?〉 Tamba-Sasayama
　　　　　　　　　　　　（丹波篠山）
　　on（〜に面して）〈どこに?〉 Dekansho Street
　　　　　　　　　　　　（デカンショ通り）
　　on（〜の上に）〈どこの?〉 the third floor（3 階）
　　on（〜の上にくっついて）
　　　　　　　　〈どこの?〉 the wall（そのかべ）

🐵 発音のコツ

● street 〔stri:t ／スチュリートゥ〕
英語では、tra〔チュラ〕tri〔チュリ〕tre〔チュレ〕tro〔チュロ〕のように発音すると英語らしく聞こえます。
●ひとつの単語の最後がローマ字になっていないときは、はっきり発音しない方が英語らしく聞こえます。
● wall〔wɔ:l〕の次にア、イ、ウ、エ、オの音がきていないときは、〔オ〕と発音すると英語らしく聞こえることから、wall〔wɔ:l〕は〔ウォーォ〕といいましょう。

02 時をあらわす at はある時点、in は時間、期間、on は日

時をあらわす前置詞の at はある時点　または　瞬間、
in はある時点が集まった時間　または　期間、
on はお決まりの日に使います。

🔊 87　音読の目標　**9**　秒

① 私は午前１０時に生まれました。
　　□ 生まれた　was born　〔wəz bɔːrn/ ワズ　ボーンヌ〕
　　　　　　□ 朝　morning　〔mɔːrniŋ/ モーニン・〕

② 私は１２月に生まれました。
　　　　□ １２月　December　〔disembər/ ディセンバァ〕

③ 私は１９５６年に生まれました。
　　　　□ １９５６　〔naintiːn fiftisiks/ ナーインティーン
　　　　　　　　　　　フィフティスィックス〕

④ 私は冬に生まれました。
　　　　　□ 冬　winter　〔wintər/ ウィンタァ〕

⑤ 私は１２月２０日に生まれました。

① I was born at ten in the morning.

② I was born in December.

③ I was born in 1956.

④ I was born in (the) winter.

⑤ I was born on December (the) twentieth.

Point

📖 これだけ覚えよう

カ、トンボ、ツバメの法則

●カはトンボに食べられる、トンボはツバメに食べられる。

つまり、小さいものから大きいものへ順番に並べるのです。

　　　　　　　　　　　　　　　〈いつの?〉
例）私は生まれました、１０時に　午前中にある

I was born　　　　at ten　　in the morning.

ある時点	at ten（１０時に）
長い時間	in the morning
長い期間	in December
長い期間	in 1956
長い期間	in (the) winter
お決まりの日	on December (the) twentieth

例）私の弟は８月１０日の午後２時に生まれました。

My brother was born at

two in the afternoon on August the tenth.
　　小　　　　　中　　　　　　大
　　カ　＜　トンボ　＜　　ツバメ

小さい物が大きい物に食べられる

🗣 発音のコツ

●英語では、be動詞（was）と前置詞（at, in, on）は弱く、the は弱く、形容詞（born）名詞（morning, December, winter）や数詞（twentieth）は強くよむと英語らしく発音できます。

03 on はある面の上に、over は真上に、under は真下に

on はある面にくっついているという意味「上に」、
over はかぶさっている感じの「真上に」、
under はおおわれている感じの「真下に」と覚えましょう。

🔊 88　音読の目標　**9**　秒

① あなたのカバンはそのテーブルの上に
　ありますよ。

② そのこわれているライトは、
　そのテーブルの真上にありますよ。
　　　　　□ こわれているライト　broken light
　　　　　〔broukən lait/ ブゥローゥケン　ラーィトゥ〕
　　　　　□ ～の真上に　over 〔ouvər/ オーゥヴァ〕

③ あなたのくつはそのテーブルの下に
　ありますよ。
　　　　　□ ～の真下に　under 〔ʌndər/ アンダァ〕

④ この木の下はすずしいですよ。
　　　　　□ すずしいですよ　It's cool 〔its ku:l/ イッツ　クーオ〕

⑤ １ぴきのハエがあなたの頭の真上を
　とんでいますよ。

① Your bag is on the table.

② The broken light is
　over the table.

③ Your shoes are
　under the table.

④ It's cool under this tree.

⑤ A fly is flying over your head.

Point

● 「(はっきりしたもの) が～にありますよ」といい
たいときは、

Your bag is on the table.

　(あなたのカバンはそのテーブルの上にあります
よ。)

のようにいいますが、だれのものともわからないカバ
ンなら

There is a bag on the table.

　(そのテーブルの上にカバンがありますよ。)

のように、いいたいことをまずいってから、おまけの
ようにあとから情報をつけくわえるのが英語では普通
です。

　例 すずしいですよ ＜どこが?＞ この木の下は
　　　It's cool　　　　　　　under this tree.

🐤 ここをまちがえる!

fly が fly する?

fly 〔flai ／フラーィ〕には、「ハエ」「飛ぶ」「～を飛ばす」
の３つの意味があります。

飛ぶ (fly) は動詞なので、「飛んでいる」をあらわし
たいときは、動詞に ing をつけると、「今～している」
をあらわすことができるので "flying" となります。

ここで注意が必要なのは、"flying" は形容詞のはたら
きをする単語に変わったため、英文の中に動詞がなく
なってしまっていることです。

"A fly is flying." のように "is" を "flying" の前にお
いて動詞の代わりにすると、正しい英文になるのです。

04　by はそばに、near は近くに

by と near はどちらも「近くに」と訳せますが
「〜のそばに」をあらわす by の方が、「〜の近くに」をあらわす near よりも、物や人に近いと覚えておきましょう。

🔊 89　音読の目標　**7**　秒

① 私は東京タワーのそばに住んでいます。

② 私は東京タワーの近くに住んでいます。

③ 私は東京の近くに住んでいます。

④ ここの近くに本屋がありますか。
　　　□〜がありますか　Is there 〜?　〔iz ðeər/ イ・ゼァァ〕
　　　□本屋　bookstore　〔bukstɔːr/ ブッ・ストアァ〕
□ここの近くに　near here　〔niər hiər/ ニアァ　ヒアァ〕

⑤ 私のそばに座ってください。
　　　　　□私のそばに座る　sit by me
〔sit bai miː/ スイッ・バーィミー〕

① I live by Tokyo Tower.

② I live near
Tokyo Tower.

③ I live near Tokyo.

④ Is there a bookstore near here?

⑤ Please sit by me.

Point

🗯 ここをまちがえる!

by と near の距離感
● by には、「そばに」と「近くに」という意味がありますが、near には「そばに」という意味はなく、「近くに」という意味しかありません。ですから、
①「東京タワーのそばに」という場合は、東京タワーが見えるところに。
②「東京タワーの近くに」という場合は、東京タワーが見えなくても近ければよいのです。たとえ 2km 離れていても。
一方、③「東京の近く」には、"near Tokyo" といっても、"by Tokyo" とはいえません。
東京は見えないからと覚えておけば、まちがいありませんよ。

🗯 発音のコツ

● 名詞+名詞のときは、前の名詞を強く発音する傾向があります。
Tokyo Tower と bookstore を例にして考えてみます。
1つめの名詞が強くなる理由は

```
┌─ Tower 〈どこの?〉 Tokyo
└─ store 〈何の?〉 book
```

つまり、Tokyo と book が大切だからです。
● 前置詞+名詞になっているときは、前置詞を弱く、名詞を強くいうので、near here は here を強くいいます。
● bookstore と sit by の　のところがローマ字にならないことから、k と t を飲み込むように発音すると英語らしく聞こえます。

05 「の」の前置詞 of

「～の」をあらわす前置詞 of には前後のことばをつなぐさまざまな意味があります。

🔊 **90** 音読の目標 **9** 秒

① この花の（その）名前は何ですか。
　　□ 何ですか　What's ~?〔wɑts/ ワッツ〕
　　□ 花　flower〔flauər/ フラーゥア〕

② 酒井君は私たちみんなの中で一番背が高い。
　　□ 私たちみんな　us all〔ʌsɔːl/ アソーォ〕

③ 私にグラス1杯の水をください。

④ トニー君は英語の先生です。

⑤ この机（つくえ）は木製です。
　　□ 作られている　is made〔iz meid/ イズ　メーィドゥ〕
　　□ 木材　wood〔wud/ ウォッドゥ〕

① What's the name of this flower? *the name of*

② Mr. Sakai is the tallest of us all.

③ Please give me a glass of water.

④ Tony is a teacher of English.

⑤ This desk is made of wood.

Point

📖 これだけ覚えよう

よく使う前置詞 of

● of には、① 所有をあらわす「の」② 最上級といっしょに使う「～の中で」③ 数えられないものを数えるときの「～の量の」④ 動詞＋名詞の意味をあらわす「の」⑤（材料をあらわして）「～から（できている）」などの意味があります。

① the name of this flower → この花がもっているその名前
② of us all → 私たちすべての中で
③ a glass of water → グラス1杯の水
④ a teacher of English → teach English（英語を教える）
⑤ This desk is made of wood. → この机は木からできています。

目で見て何からできているかがわかるときは of、わからなければ from を使います。

👉 ここが大切

● "What's" は "What is" を短くしたものです。
　What is the name of this flower?
● "the tallest" の the は、1人しかいないという意味の the で、背が高い tall〔トーォ〕に est をつけることで一番背が高いとなっています。
● we all（私たちはみんな）は文章で一番はじめにくるときに使い、文章の一番最後にくるときは、us all にします。
● teach（教える）に er（～する人）で teacher（教える人）の意味になります。

01 「くっついた」の前置詞 on

前置詞 on は、あらゆる面にくっついて、特定の日に、〜について〔〜に関して〕、〜で〔〜を手段として使って〕、〜のために、のような意味があります。

🔊 **91** 音読の目標 **9** 秒

① 1ぴきのハエがそのテーブルの上に
とまっていますよ。

② 私たちは毎週日曜日にテニスをします。
　　　　　　　　☐ 毎週日曜日　on Sundays
　　　　　　〔ɔn sʌndeiz/ オン　サンデーィズ〕

③ 直美さんはきのうテニスについて講演を
しました。
　　　　　☐ 講演をした　spoke〔spouk/ スポーック〕

④ ピクニックに行きましょう。

⑤ 私はテレビでそのテニスの試合を
見ました。
　　　　　☐ そのテニスの試合　the tennis match
　　　　　　〔ðə tenis mætʃ/ ざ　テニス　メァッチ〕

① There is a fly
on the table.

② We play tennis
on Sundays.

③ Naomi spoke on tennis yesterday.

④ Let's go on a picnic.

⑤ I watched the tennis match on
television.

Point

📖 これだけ覚えよう

ぴったりくっつく「on」

〈どこに?〉
① 1ぴきのハエがいます　そのテーブル〔の上に、にとまって〕
　There is a fly　　　　on the table.

〈いつ?〉
② 私たちはテニスをします　毎週日曜日に
　We play tennis　　　　on Sundays.

〈何についての?〉　〈いつ?〉
③ 直美さんは講演をしました　テニスについて　きのう
　Naomi spoke　　　　on tennis　　　yesterday.
　　〈何をする?〉〈何のために?〉

〈何を?〉
④ しましょう　行く　　ピクニック〔のために、に〕
　Let's　　　go　　　on a picnic.
　　　　　　〈何を?〉　　　〈何を使って?〉

⑤ 私は見ました　そのテニスの試合　テレビ〔を使って、で〕
　I watched　the tennis match on television.

🗣 発音のコツ

● go on a picnic〔ゴーゥ　オナ　ピクニック〕
となりあった音でローマ字ができるので、くっつけて
よみます。

● watched〔wɑtʃt ／ワッチトゥ〕
英語では、息で発音する音でおわっている動詞がある
とき、ed を〔トゥ〕と発音します。

● tennis match のように名詞＋名詞になっていると
きは、1つめの名詞を強く発音します。その理由は次
のように考えるとわかりやすいのです。

〔match（試合）〈何の?〉tennis（テニス）〕

　← tennis が大切であることから、テニスを強く発
　　音します。

02 「～の中に」の前置詞 in

前置詞 in は A is in B（A は B にある）、A in B（B の中にある A）、in A（A を使って）、in A（A のうちに）、in A 時間（A 時間たったら）のパターンで覚えましょう。

🔊 **92**　音読の目標　**7**　秒

① 何がこの箱の中に入っているのですか。

② 酒井君は私たちのクラスの中で一番背_せが高い。
　　　　□ 一番背が高い　the tallest
　　　　〔ðə tɔ:list/ ザ　トーレストゥ〕
　　　　□ クラス　class　〔klæs/ クレァス〕

③ 英語で話しましょう。

④ 私は午前中に勉強します。

⑤ 私は 10 分したら〔以内に〕帰ってきますよ。
　　　　□ 戻る　be back〔bi: bæk/ ビー　ベァック〕
　　　　□ 10分　ten minutes〔ten minits/ テンミニッツ〕

---

① What's〔What is〕in this box?

what's
in
this box

② Mr. Sakai is
the tallest in our class.

③ Let's speak in English.

④ I study in the morning.

⑤ I'll〔I will〕be back in ten minutes.

Point

📖 **これだけ覚えよう**
「中にある」in
① What's in A?（何が A の中に入っているのですか。）
② the tallest in our class
　（私たちのクラスの中にいる一番背が高い）
③ in English（英語を使って）＝（英語で）
④ in the morning（朝のうちに）＝（午前中に）
⑤ in ten minutes（10 分したら）＝（10 分以内に）

● 「以内に」を in よりももっとはっきりいいたいときは、within〔wiðin／ウィザィンヌ〕を使ってください。

🗣 **発音のコツ**
What's〔wɑts／ワッツ〕
what is〔wɑt iz／ワティズ／ワリズ〕
in our〔in auər／イナーゥア〕
speak in English〔spi:k in iŋgliʃ／スピキニングリッシ〕
I will〔ai wil／アーィ　ウィォ〕
I'll〔ail／アーィオ〕

03 ある地点の前置詞 at

at は、短い時間に、狭い場所で、1つの場所に向かって、1つの点で、〜を見て〔聞いて〕のような意味をあらわします。

🔊 93 　音読の目標　**7**　秒

① 私は正午に昼食をとります。
　　□ 昼食をとる　eat lunch 〔iːt lʌntʃ／イー・ランチ〕

② 私は大阪駅でトニー君に出会った。
　　　　　　　□ トニー君に出会った　met Tony
　　　　　　　〔met touni／メッ・　トーゥニィ〕

③ 私を見て。

④ 私は泳ぎが得意なんです。

⑤ 直美さんは私の話を聞いて笑った。
　　□ 〜を聞いて笑った　laughed at 〔læft at／レァフタッ・〕

① I eat lunch at noon.

② I met Tony at Osaka Station.

③ Look at me.

④ I'm 〔am〕 good at swimming.

⑤ Naomi laughed at my story.

Point

📖 これだけ覚えよう

「点」に合わせる at
① 短い時間－ at noon 〔at nuːn／アッ・ヌーンs〕〔正午に〕
② 狭い場所－ at Osaka Station〔大阪駅で〕
③ 〜に向かって－ at me（私に向かって）
④ 1つの点で－ at swimming
　　　　　　　（水泳という点において）
⑤ 〜を聞いて－ at my story（私の話を聞いて）

●理解できたら一気に覚えましょう
look at（〜を見る）
am good at（〜が得意なんですよ）
laugh at（〜を聞いて笑う、〜を見て笑う）

😊 発音のコツ

●単語の最後の音と次の単語のはじめの音がローマ字にならないときは、・の印のところの音を飲み込んで発音するか、発音しないようにしましょう。
　at noon 　〔at nuːn ／アッ・ヌーンs〕
　met Tony〔met touni ／メッ・　トーゥニィ〕
　look at me〔luk at mi：／ルッカッ・ミー〕
　　└ローマ字になるときは、くっつけて「カッ」
　　　とよみます。

04　「～といっしょに」の前置詞 with

with は「（人や動物）といっしょに」、A with B で「B がある A」、
「（道具）を使って〔で〕」、「（材料）を使って〔で〕」、「A に関しては」などをあらわします。

🔊 **94**　音読の目標 **10** 秒

① 私は私の両親といっしょに住んでいます。
　　　□ 両親　parents　〔peərənts/ ペアゥレンツ〕

② 長い髪をしているあの少女を見て。
　　　□ 少女　girl　〔gə:rl/ ガ〜オ〕

③ えんぴつで〔を使って〕書いてはいけません。ペンを使いなさい。
　　　□ えんぴつ　pencil　〔pensl/ ペンソー〕
　　　□ ～を使う　use　〔ju:z/ ユーズ〕

④ このテーブルをテーブルクロスで〔を使って〕おおってね。
　　　□ テーブル　table　〔teibl/ テーィボー〕
　　　□ テーブルクロス　tablecloth
　　　〔teiblklɔ:θ / テーィボークローす〕

⑤ 私に関してはそれで OK ですよ。

① I live with my parents.

② Look at that girl with (the) long hair.

③ Don't write with a pencil.
　Use a pen.

④ Cover this table
　with a tablecloth.

⑤ That's OK with me.

my parents

Point

📖（これだけ覚えよう）

すぐ隣にいっしょにいる with

① 私は住んでいます　＋私の両親といっしょに
　I live　　　　　　　with　my parents.
② あの少女を見て　＋長い髪をしている
　Look at that girl　with (the) long hair.
③ 書いてはいけない　＋えんぴつ〔で、を使って〕
　Don't write　　　　with a pencil.
④ このテーブルをおおって　＋クロス〔で、を使って〕
　Cover this table　　　　　with a tablecloth.
⑤ それで OK ですよ　＋私に関しては
　That's OK　　　　　with　me.

🗣（発音のコツ）

● look at 〔lukət ／ルッカッ・〕（～を見る）
look を強くいいましょう。
● Don't write with
　〔dount rait wið ／ドーゥン・　ゥラーィ・　ウィず〕
・のところで音を飲み込むように発音します。
● with a 〔wiðə ／ウィざ〕（～を使って）
〔ざ〕の音を出すときは、舌の先を上の歯先に軽くあて、
そのすきまから声を出すこと。
● use a 〔u:zə ／ユーザ〕
● OK 〔oukei ／オーゥケーィ〕
ケーのところを強くいいましょう。

103

05 方向をあらわす前置詞 for

for は、目的をあらわす「〜のための〔に〕」、利益（りえき）をあらわす「〜のための〔に〕」、行き先をあらわす「〜に向かって」、距離（きょり）や期間をあらわす「〜の間」、「〜に対して」、「〜に向かって」などの意味があります。

🔊 95　音読の目標　**7**　秒

① さんぽに行きましょう。

② 私は直美さんのためにこの本を買った。
　　　　　□〜を買った　bought〔bɔːt/ボートゥ〕

③ 私は成田を出発してロンドンへ
　向かった。
　　　　　□出発した　left〔left/レフトゥ〕
　　　　　□ロンドン　London〔lʌndən/ランダンヌ〕

④ １０分間待ってください。
　　　　　□待つ　wait〔weit/ウェーイトゥ〕
　　□10分　ten minutes〔ten minits/テンミニッツ〕

⑤ 電話をしてくれてありがとう。
　　　□電話をすること　calling〔kɔːliŋ/コーリン・〕

① Let's go for a walk. Naomi

② I bought this book
for Naomi.

③ I left Narita for London.

④ Please wait for ten minutes.

⑤ Thank you for calling.

this book

Point

📖 これだけ覚えよう ....
方向をあらわす for

① 行きましょう　　＋さんぽのために〔さんぽに〕
　Let's go　　　　　　for a walk.
② 私はこの本を買った ＋直美さんのために
　I bought this book　for Naomi.
③ 私は成田をたった　＋ロンドンに向かって
　I left Narita　　　for London.
④ 待ってください　　＋１０分間
　Please wait　　　　for ten minutes.
⑤ ありがとう ＋電話をかけてくれたことに対して
　　　　　　〔電話をしてくれて〕
　Thank you　　for calling.

😊 発音のコツ

● Thank you.〔θæŋkjuː／セァンキュー〕
Th の〔θ〕の音を出すときは、舌（した）の先を上の歯先に軽（かる）
くあて、そのすきまから息（いき）を出します。
Th の音がどうしても出せないときは、〔セァンキュー〕
のかわりに〔テァンキュー〕といってください。

01　案内する前置詞 to

> to は、到着地点をあらわす「〜に」、対象をあらわす「〜に対して」、期限をあらわす「〜まで」、目的をあらわす「〜に合わせて」「〜のために」「〜へ」と使います。

🔊 **96**　音読の目標　**8**　秒

① 東京に行きましょう。

② 直美さんは私の母に対して親切です。
　　　　　□ 親切な　kind　〔kaind/ カーィンドゥ〕
　　　　　□ 母　mother　〔mʌðər/ マザァ〕

③ 私たちは 10 時から 7 時まで営業しています。〔開いています〕
　　　　　□ 開いている　open　〔oupən/ オーゥプン´〕

④ その音楽にあわせておどりましょう。
　　　　　□ おどる　dance　〔dæns/ ダンス〕
　　　　　□ 音楽　music　〔mju:zik/ ミュズ（ィック〕

⑤ 私は学校へ（勉強するために）行きます。
　　　　　□ 学校　school　〔sku:l/ スクーォ〕

① Let's go to Tokyo.

② Naomi is kind to my mother.

③ We are open from ten to seven.

④ Let's dance to the music.

⑤ I go to school.

Point

📖 これだけ覚えよう

目的に案内する to

① 行きましょう　　　　　＋東京に
　Let's go　　　　　　　to Tokyo.

② 直美さんは親切です　＋私の母に対して
　Naomi is kind　　　　to my mother.

③ 私たちは営業しています　＋ 10 時から 7 時まで
　We are open　　　　from ten to seven.

④ おどりましょう　　　　＋その音楽に合わせて
　Let's dance　　　　　to the music.

⑤ 私は行きます　　　　＋学校へ勉強するために
　I go　　　　　　　　to school.

😲 ここをまちがえる！

● to のうしろが数えることができる名詞なのに a や the がついていないときは、本来の目的のためにや〜へという意味で to を使っています。

　例 go to school（勉強するために学校へ行く）
　例 go to church（礼拝するために教会に行く）
　例 go to bed　（寝るためにベッドのところへ行く）
　例 go to college（勉強するために大学へ行く）

😊 発音のコツ

church〔tʃə:rtʃ ／チァ〜チ〕　bed〔bed ／ベッ・〕
college〔kɑlidʒ ／カレッヂ〕
college の発音記号の〔i〕は、イとエの間の音なので、〔イ〕よりも〔エ〕に近く発音されることが多いのです。

02 そばにいる前置詞 by

by は、「～のそばに」、「～のそばを通って」、「（交通手段）によって」、「～することによって」、「A さんによって」などをあらわします。

🔊 97 　音読の目標 **10** 秒

① 私のそばにすわってください。
　　　　□ 私のそばに　by me 〔bai mi:/ バーイ ミー〕

② 私はきのう直美さんの家のそばを歩いて通った。
　　　　□ 家　house 〔haus/ ハーゥス〕

③ 私は自転車で学校へ通っています。

④ 私は英語を教えることによって、お金をもうけています。
　　　　□ お金をもうける　make money
　　　　〔meik mʌni/ メーイク マニィ〕

⑤ この家は酒井さん（男性）によって建てられました。
　　　　□ 建てられた　was built 〔wɑz bilt/ ワズ ビオトゥ〕

① Please sit by me.

② I walked by Naomi's house yesterday.

③ I go to school by bike.

④ I make money by teaching English.

⑤ This house was built by Mr. Sakai.

Point

📖 これだけ覚えよう

そばでつかずはなれずの by

① すわってください＋私のそばに
　Please sit 　　　　by me.
　　　　　　　　　　　　　　　〈いつ?〉

② 私は歩いて通った＋直美さんの家のそばを　きのう
　I walked 　　　by Naomi's house　yesterday.

③ 私は通っています＋学校へ　　　　＋自転車で
　I go 　　　　to school 　　　　by bike.
　　　　　　　　　　　　　　　〈何を?〉

④ 私はお金をもうけています＋教えることによって 英語を
　I make money 　　　　by teaching 　　English.

⑤ この家は建てられました＋酒井さんによって
　This house was built 　　by Mr. Sakai.

👉 ここが大切

「～によって」の３つの使い方と注意点

（１）by を交通手段として使う場合。
このときの bike（自転車）, car（車）, plane（飛行機）, bus（バス）などの名詞の前には、a や the をつけてはいけません。

（２）by ～ ing（～することによって）のパターンで、動詞の ing 形を使う場合。

（３）by の次に動作を行う人がくる場合。
ただし by の次に代名詞を使うことはさけてください。

［×］This house was built by him.
［○］This house was built by Mr. Sakai.

03　～のあとの前置詞 after

after は、時間または順序が「～のあとの〔に〕」、「～の次に〔～のあとから〕」の意味を、after ～ ing で「～してから」「～を追って」「～にちなんで」をあらわします。

🔊 98　音読の目標　**9**　秒

① 私たちは、放課後にテニスをします。
　□ テニスをする　play tennis
　〔plei tenis/ プレーィテニス〕

② 私について来なさい。〔私のあとから来なさい。〕

③ 私は勉強してから寝ます。
　□ 勉強してから　after studying
　〔æftər stʌdiiŋ/ エァフタァ　スタディイン・〕

④ あの車を追いかけて行って。

⑤ 私は私の父にちなんでトニーと名づけられました。　□ 名づけられた　was named
　〔wəz neimd/ ワズ　ネーィムドゥ〕

① We play tennis after school.
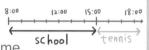

② Come after me.

③ I go to bed after studying.

④ Go after that car.

⑤ I was named Tony after my father.

Point

📖 これだけ覚えよう

あとにいる after
① 私たちはテニスをします＋放課後〔授業のあとに〕
　We play tennis　　after school.
② 来なさい　＋私のあとから
　Come　　after me.
③ 私は寝ます＋勉強してから
　I go to bed　　after studying.
④ 行って　＋あの車を追いかけて
　Go　　after that car.
　　　　〈何と？〉
⑤ 私は名づけられました トニーと ＋私の父にちなんで
　I was named　　Tony　　after my father.

🗣 発音のコツ

● go to bed〔ゴーゥ　トゥ　ベッ・〕
・のところを飲み込むように発音するので、はっきり発音しません。
〔トゥ〕のところをアメリカ人が発音すると〔る〕のように聞こえます。
● named Tony〔neimd touni ／ネーィム・トーゥニィ〕
d と t がローマ字にならないので、d の音を飲み込むように発音します。

04 上のほうにひろがる前置詞 over

over は、「～を越えて〔～の向こう側に〕」、「～じゅうで〔一面に〕」、「～について」、「～しながら」、「（電話やラジオなど）によって」をあらわします。

🔊 99　音読の目標　**9**　秒

① 私のネコはそのフェンスをジャンプしてとび越えたんですよ。
　　□ ジャンプした　jumped　〔dʒʌmpt/ ヂャンプトゥ〕
　　　　　　　　　　□ フェンス　fence　〔fens/ フェンス〕

② あなたは世界じゅうで知られていますよ。
　　□ 知られています　are known
　　〔ɑːr noun/ アー　ノーゥンヌ〕

③ その計画について相談しましょう
　〔話しましょう〕。　　□ 話す　talk　〔tɔːlk/ トーク〕
　　　　　　　　　□ 計画　plan　〔plæn/ プレァンヌ〕

④ お茶を1杯飲みながら話しましょう。

⑤ 私は佐知子さんと電話で話しました。

① My cat jumped over the fence.

② You're 〔are〕 known all over the world.

③ Let's talk over the plan.

④ Let's talk over a cup of tea.

⑤ I talked to Sachiko over the phone.

Point

📖 これだけ覚えよう

上の方にひろがる over
① 私のネコはジャンプした ＋ そのフェンスを越えて
　My cat jumped　　　　　　over the fence.
② あなたは知られていますよ ＋ 世界じゅうで
　You are known　　　　　　all over the world.
③ 話しましょう＋その計画について
　Let's talk　　　over the plan.
④ 話しましょう＋お茶を1杯飲みながら
　Let's talk　　　over a cup of tea.
⑤ 私は話した　＋佐知子さんと＋電話で
　I talked　　　to Sachiko　　over the phone.

🐵 発音のコツ

● jumped over〔dʒʌmptouvər ／ヂャンプトーゥヴァ〕
● all over〔ɔːlouvər ／オーローゥヴァ〕
● over a〔ouvərə ／オーゥヴァゥラ〕
● cup of〔kʌpəv ／カッパヴ〕
　　は前の単語の最後と後の単語の最初がローマ字になるので、くっつけて発音します。
● talked to〔tɔːlkt tə ／トーク・トゥ〕
t の音が2つあるので、前の t の音を飲み込むように発音して、2つめの t からはっきりと発音します。

05 文をかたまりにする関係代名詞 who, which

that boy who（どんな少年）can swim で、「泳ぐことができるあの少年」
that dog which（どんなイヌ）can swim で、「泳ぐことができるあのイヌ」

🔊 100 　音読の目標 **15** 秒

① 私は日本語を話しているあの少年を知っています。
　□ 日本語を話している　speaking Japanese
　〔spíːkiŋ dʒǽpəniːz/ スピーキン・チェァパニーズ〕

② 日本語を話しているあの少年はトニーです。

③ 私はそこで眠っているあのネコが好きです。
　□ 眠っている　sleeping　〔slíːpiŋ/ スリーピン・〕

④ そこで眠っているあのネコはかわいい。

⑤ 日本語を教えているあの先生は和田先生（女性）です。
　□ 女の人の敬称、〜さん　Ms.　〔miz/ ミズ〕

① I know that boy who is speaking Japanese.

② That boy who is speaking Japanese is Tony.

③ I like that cat which is sleeping there.

④ That cat which is sleeping there is pretty.

⑤ That teacher who is teaching Japanese is Ms. Wada.

Point

📖 これだけ覚えよう

文をかたまりに変える who, which

① 私は知っています あの少年　〈だれを?〉　日本語を話している 〈どんな少年?〉
　I know　　　　　that boy who is speaking Japanese.

② あの少年　日本語を話している 〈どんな少年?〉　トニーです 〈だれ?〉
　That boy who is speaking Japanese　is Tony.

③ 私は好きです　あのネコ 〈何が?〉　そこで眠っている 〈どんなネコ?〉
　I like　　　　that cat　which is sleeping there.

④ あのネコ 〈どんなネコ?〉　そこで眠っている かわいいですよ 〈どんな状態?〉
　That cat　which is sleeping there　is pretty.

⑤ あの先生　日本語を教えている 〈どんな先生?〉　和田先生です 〈だれ?〉
　That teacher who is teaching Japanese　is Ms. Wada.

👆 ここが大切

who, which を使ってあらわす方法

①② that boy is speaking Japanese
　日本語を話している 〈だれが?〉 who
　← that boy who is speaking Japanese
　（日本語を話しているあの少年）

③④ that cat is sleeping there
　そこで寝ています 〈何が?〉 which
　← that cat which is sleeping there
　（そこで眠っているあのネコ）

⑤ that teacher is teaching Japanese
　日本語を教えている 〈だれが?〉 who
　← that teacher who is teaching Japanese
　（日本語を教えているあの先生）

01 だれだれの○○をかたまりにする 関係代名詞 whose

日本語の「の」の入っている文を、's のかわりに whose を使うと、文を名詞をあらわすかたまりに変えることができます。

🔊 101 〔音読の目標 **10** 秒〕

① あの少年の名前はトニーです。
    □ 名前　name　〔neim/ ネーィム〕
    □ トニー　Tony　〔touni/ トーゥニィ〕

② トニーという名前のあの少年

③ あの女性の髪は長い。
□ 女性の髪　lady's hair　〔leidiz heər/ レーィディズ　ヘァァ〕

④ 長い髪のあの女性

⑤ 黒い目のあの女性は直美さんです。
    □ 両目　eyes　〔aiz/ ァーィズ〕
    □ 黒い　dark　〔dɑːrk/ ダーク〕

① That boy's name is Tony.

name is Tony
boy

② that boy
 whose name is Tony

③ That lady's hair is long.

④ that lady whose hair is long

⑤ That lady whose eyes are dark is Naomi.

Point

📖 これだけ覚えよう

「どんな人」の疑問をかたまりで説明する whose

① あの少年の名前ですよ〈何ですか？〉トニー
 That boy's name is　　　　　　Tony.
② あの少年　　　　〈どんな少年？〉名前はトニーです
 that boy　　　　　　whose name is Tony
③ あの女性の髪ですよ　〈どんな髪？〉長い
 That lady's hair is　　　　　long.
④ あの女性　　　　〈どんな女性？〉髪は長いです
 that lady　　　　　　whose hair is long
 〈どんな女性？〉〈だれ？〉
⑤ あの女性　　　　　　目が黒い　直美さんです
 That lady　whose eyes are dark　is Naomi.

✍ ここが大切

● （　　　　）のところでどんな疑問が生まれるかを考えて〈だれの？〉になるときは whose が入ります。

② that boy （　　　　）name is Tony
      名前はトニー〈だれの？〉
④ that lady （　　　　）hair is long
      髪は長い〈だれの？〉
⑤ That lady （　　　　）eyes are dark
      目は黒い〈だれの？〉

〈だれの？〉という疑問が生まれているので、② ④ ⑤ の（　　　　）には whose 〔huːz ／フーズ〕が入ることがわかります。

02 だれを、何ををかたまりにする 関係代名詞 whom, which

人の次に「だれを」という疑問が生まれたら whom、「何を」という疑問が生まれたら which を使って、「どんな人」、「どんな物」をあらわすことができます。

🔊 **102** 音読の目標 **7** 秒

① 私はあの少年を知っています。
　　　　□ 〜を知っている　know〔nou/ ノーゥ〕

② 私が知っているあの少年
　　　　□ だれを（関係代名詞）whom〔hu:m/ フーム〕

③ 私はあのイヌが好きです。

④ 私が好きなあのイヌ

⑤ 私が好きなあのテニスの選手
　　　　□ テニスの選手　tennis player
　　　　〔tenis pleiər/ テニス　プレーィアァ〕

① I know that boy.

② that boy whom I know

③ I like that dog.
that dog　I like

④ that dog which I like

⑤ that tennis player whom I like

Point

📖 **これだけ覚えよう**

「だれ（何）を」の疑問をかたまりで説明する whom, which

① 私は知っています〈だれを?〉あの少年
　I know　　　　　　　　　 that boy.

② あの少年　　〈どんな少年?〉私が知っている〈だれを?〉
　that boy　　　　　 whom I know

③ 私は好きです　〈何を?〉あのイヌ
　I like　　　　　　　 that dog.

④ あのイヌ　〈どんなイヌ?〉私が好き〈何を?〉
　that dog　　　　 which I like

⑤ あのテニスの選手〈どんな選手?〉私が好き〈だれを?〉
　that tennis player　　　 whom I like

> 関係代名詞の whom と which は 省略することも できます!

👉 **ここが大切**

● 「だれを」という疑問が生まれたら whom、「何を」ならば which が（　　　）に入ります。

② that boy（　　　）I know
　　　　　　　　　　私が知っている〈だれを?〉

④ that dog（　　　）I like
　　　　　　　　私が好きです〈何を?〉

🐧  **発音のコツ**

●名詞＋名詞になっていて、うしろの名詞を前の名詞が説明しているときは、前の名詞を強くよみます。
例 tennis player
●関係代名詞 who・which・whom・whose などは弱くよみます。

03 ○○な△△をかたまりにする　関係代名詞 that

all（すべて）、the only thing（唯一のこと）、the first 〜（最初の〜）、anything（何でも）のような語句の説明をしたいときに関係代名詞の that を使うことがあります。

🔊 **103** 　音読の目標 **10** 秒

① それが私が知っているすべてです。

② それが私が知っている唯一のことです。
　　　　　　　□ 唯一のこと　the only thing
　　　　　　　〔ði ounli θiŋ/ ずィ　オーゥンリィ　すィン・〕

③ あなたがここへ来た最初のお客さんです。
　　　　　　　□ 最初のお客さん　the first customer
　　　　　　　〔ðə fəːrst kʌstəmər/ ざ　ファース・カスタマァ〕

④ これが私がもっている最高の自転車です。

⑤ 私があなたのためにできることは何かありますか。
　　　　　　　□ 何かありますか　Is there anything 〜?
　　　　　　　〔iz ðeər eniθiŋ/ イ・ゼア　エニィすィン・〕

① That's 〔is〕 all that I know.

② That's 〔is〕 the only thing that I know.

③ You're 〔are〕 the first customer that came here.
the best bike

④ This is the best bike that I have.

⑤ Is there anything that I can do for you?

Point

📖 **これだけ覚えよう**

便利な関係代名詞 that。who や which の代わりにも！

① それがすべてです　〈どんなもの?〉私が知っている
　That's all　　　　　　　　that　　　 I know.

② それが唯一のことです　〈どんなもの?〉私が知っている
　That's the only thing　　　that　　　 I know.
　〈何ですか?〉　　　　　　　　　　〈どこへ?〉

③ あなたですよ　最初のお客さん〈どんな?〉来た　ここへ
　You are　the first customer　that came　here.
　〈何ですか?〉
　who
　でもいい

④ これですよ　最高の自転車〈どんな?〉私がもっている
　This is　the best bike　　that　　 I have.
　〈何が?〉　　　〈どんなもの?〉〈だれのために?〉

⑤ ありますか　何か　私がすることができる　あなた
　Is there　anything　that I can do　for you?
　which
　でもいい

🗨 **ここが大切**

●学校では "all" "the only thing" "the first 〜" のような順番をあらわす単語や "anything" などがきているときは、関係代名詞の that を使うと習いますが、that のかわりに who, which を使うこともできます。

⚠ **ここをまちがえる！**

省略できる that、できない that

①②④⑤ の that は省略されることが多いのです。関係代名詞 that のあとに、主語＋動詞が続いている場合（関係代名詞の目的格の場合）は省略することができます。

例 That's all (that) I know.
　　　　　　 主語　 動詞

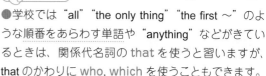

04　疑問をだれかにぶつける間接疑問文①

文章の中に疑問文の意味をあらわす内容が入っている文を間接疑問文といいます。
疑問詞＋主語＋動詞で間接的に疑問をつたえます。

🔊 **104**　音読の目標　**11**　秒

① 私に何時か教えてよ。
　　　□〜に教える　tell 〔tel／テオ〕

② 私にあなたがどこに住んでいるのか
　教えてください。　□住む　live 〔liv／リヴ〕

③ 直美さんに何階に住んでいるのか
　たずねてよ。
　　　□〜にたずねる　ask 〔æsk／エァスク〕
　　□何階　what floor 〔wɑt flɔ:r／ワッ・フローァ〕

④ あなたは直美さんが何の車を買ったか
　知っていますか。

⑤ 私は佐知子さんがだれと結婚したか
　知りたい。
　　　　　□〜したい　want to
　〔wɑnt tə／ワン・トゥ／wɔnt tə／ウォン・トゥ〕
　　□〜と結婚した　married 〔mærid／メァゥリィドゥ〕

① Tell me what time it is.

what time

② Please tell me
　where you live.

③ Ask Naomi
　what floor she lives on.

④ Do you know what car Naomi
　bought?

⑤ I want to know who Sachiko
　married.

Point

👉 **ここが大切**

疑問詞＋だれが（何が）どうするでかたまりにする

① 私に教えてよ　〈何を?〉何時＋であるか（ということ）
　Tell me　what time　it is.

② 私に教えてください　〈何を?〉どこに＋あなたが住んでいるか（ということ）
　Please tell me　where　you live.

③ 直美さんにたずねてよ　〈何を?〉何階に＋彼女が住んでいるのか
　Ask Naomi　what floor　she lives on.

④ あなたは知っていますか　〈何を?〉何の車＋直美さんが買った
　Do you know　what car　Naomi bought?

⑤ 私は知りたい　〈何を?〉だれと＋佐知子さんが結婚した
　I want to know　who　Sachiko married.

📖 **これだけ覚えよう**

文中で疑問文を名詞にする方法

〔文〕　①do や did を抜く　be 動詞・主語の後に　②時制をあわせる　〔名詞のはたらきをするかたまり〕

① What time is it?　→ what time it is
② Where do you live?　→ where you live
③ What floor does she live on? → what floor she lives on
④ What car did Naomi buy? → what car Naomi bought
⑤ Who did Sachiko marry?　→ who Sachiko married

✍ **ここをまちがえる！**

● Where は「に」をふくんでいるので、in, on など
は必要ありません。

例 あなたは何市に住んでいますか。
　What city do you live in?

例 あなたはどこに住んでいますか。
　Where do you live?

05 疑問をだれかにぶつける間接疑問文②

What is on the desk?（何がその机の上にありますか。）は、文。
what is on the desk（何がその机の上にあるかということ）は、かたまり。

🔊 **105** 音読の目標 **9** 秒

① だれが直美さんを好きなのか私に
　教えてよ。　　　　　□ だれが　who 〔hu:/ フー〕

② だれがきのうここに来たのかあなたは
　知っていますか。
　　　　　　　　□ 来た　came 〔keim/ ケーイム〕
　　　　　　　　□ ここへ　here 〔hiər/ ヒアァ〕
　　□ きのう　yesterday 〔jestərdei/ いェスタデーィ〕

③ 私は何がこの箱の中に入っているのか
　知りません。
　　　　□ 箱　box 〔bɑks/ バックス／bɔks/ ボックス〕

④ 何がこの箱の中に入っているのか私に
　教えてよ。

⑤ ここで何が起こっているのか私に教えて
　ください。
　　□ 起こっている　happening 〔hæpəniŋ/ ヘァプニン・〕

---

① Tell me who likes Naomi.

② Do you know who came here
　yesterday?

③ I don't know
　what's 〔is〕 in this box.

④ Tell me what's 〔is〕 in this box.

⑤ Please tell me what's 〔is〕
　happening here.

I don't know

Point

👉 ここが大切

　　　　　　　　　　　　〈何を?〉　　〈だれを?〉
① 私に教えてよ　　　だれが好きなのか　直美さん
　Tell me　　　　　who likes　　Naomi.

　　　　　〈何を?〉　〈だれが?〉〈どこへ?〉　〈いつ?〉
② あなたは知っていますか だれが来たのか ここに　きのう
　Do you know　　who came　here yesterday?

　　　　　　　〈何を?〉〈どこに?〉　〈何の?〉
③ 私は知りません　何があるのか　中に　この箱
　I don't know　　what's 〔is〕　in　this box.

　　　　　　〈何を?〉〈どこに?〉　〈何の?〉
④ 私に教えてよ　何があるのか　中に　この箱
　Tell me　　what's 〔is〕　in　this box.

　　　　　　　　〈何を?〉　　〈どこで?〉
⑤ 私に教えてください　何が起こっている　ここで
　Please tell me　what's 〔is〕 happening　here.

👉 ここが大切

● 「what ＋動詞～」は？があると文、？がないとかたまりになります。
〔文〕　　　〔名詞のはたらきをするかたまり〕
① Who likes Naomi?（だれが直美さんを好きなのですか。）
　　　　　　→ who likes Naomi
　　　　　　（だれが直美さんを好きかということ）
② Who came here yesterday?
　　　　　　（だれがきのうここに来ましたか。）
　　　　　　→ who came here yesterday
　　　　　　（だれがきのうここに来たのかということ）
③④ What's in this box?（何がこの箱に入っていますか。）
　　　　　　→ what's in this box
　　　　　　（何がこの箱に入っているかということ）
⑤ What's happening here?（何がここで起こっているのですか。）
　　　　　　→ what's happening here
　　　　　　（何がここで起こっているのかということ）

長沢先生が直接回答します！

質問券

この本をよんでわからないところがあったら…
下の欄に記入して，このページを
明日香出版社まで FAX で送ってください。
長沢先生から直接回答をさしあげます。
質問は郵送でも受け付けております。
わからないところがなくなるまで，
長沢先生がていねいにフォローしてくれます。
ぜひご利用ください！
※本書以外のご質問は受けかねます。

送り先 明日香出版社
FAX 03-5395-7654
住 所 〒112-0005 東京都文京区水道 2-11-5

ご質問の際は必ずご記入ください。

お名前		年齢	TEL	FAX	
ご住所　〒					

※氏名・住所・連絡先等が不完全な場合はご対応いたしかねます。

[著者]

長沢寿夫（ながさわ　としお）

累計316万部突破！
「中学英語」といえば長沢式！

1980年、ブックスおがた書店のすすめで、川西、池田、伊丹地区の家庭教師をはじめる。
1981年〜1984年、教え方の研究のために、塾・英会話学院・個人教授などで約30人の先生について英語を習う。その結果、やはり自分で教え方を開発しなければならないと思い、長沢式の勉強方法を考え出す。
1986年、旺文社『ハイトップ英和辞典』の執筆・校正の協力の依頼を受ける。
1992年、旺文社『ハイトップ和英辞典』の執筆・校正のほとんどを手がける。
現在は塾で教えるかたわら、英語書の執筆にいそしむ。読者からの質問にていねいに答える「質問券」制度も好評。

主な著書
『中学3年分の英語を3週間でマスターできる本』（43万部突破）
『中学・高校6年分の英語が10日間で身につく本』（27万部突破）
（共に明日香出版社）
『中学校3年分の英語が教えられるほどよくわかる』（ベレ出版）

校正協力
アップル英会話センター
丸橋一広

Special Thanks!
池上悟朗
和田薫
西本みやび
長沢徳尚
新納浩子

カバーデザイン：藤田美咲
イラスト　　　：田島ミノリ
誌面デザイン　：kohzu design
編集協力　　　：株式会社カルチャー・プロ

〈図解〉中学3年分の英語が3週間で身につく音読

2023年　3月　1日　初版発行

著　　　者　　長沢寿夫
発　行　者　　石野栄一
発　行　所　　明日香出版社
　　　　　　　〒112-0005　東京都文京区水道2-11-5
　　　　　　　電話　03-5395-7650（代表）
　　　　　　　https://www.asuka-g.co.jp

印刷・製本　　株式会社フクイン

©Toshio Nagasawa 2023 Printed in Japan　ISBN 978-4-7569-2256-4